AGIR

c'est de la Scout

alain ſamson

AGIR
c'est ça le Secret

BÉLIVEAU
★
éditeur

Conception de la couverture : Alexandre Béliveau
Réalisation de la couverture : Jean-François Szakacs
Photographie de la couverture : iStockphoto

Dépôt légal : 4ᵉ trimestre 2011
Bibliothèque et Archives nationales du Québec
Bibliothèque nationale du Canada

ISBN 978-2-89092-514-4

BÉLIVEAU
——★——
é d i t e u r

920, rue Trans-Canada
Longueuil (Québec) Canada J4G 2M1
450 679-1933 Télécopieur : 450 679-6648

www.beliveauediteur.com
admin@beliveauediteur.com

Gouvernement du Québec — Programme de crédit d'impôt pour l'édition de livres — Gestion SODEC — www.sodec.gouv.qc.ca.

Nous reconnaissons l'aide financière du gouvernement du Canada par l'entremise du Fonds du livre du Canada pour nos activités d'édition.

IMPRIMÉ AU CANADA

TABLE DES MATIÈRES

Introduction
Vous avez été déçu en lisant *Le secret*? **9**

Pourquoi? 10

Un jeu? 12

Les règles du jeu

Pour les traditionnels 16

Pour les technos 17

Votre pire ennemie : la myopie 18

Et puis? 19

Chapitre 1. Des projets, enfin des projets! **21**

1.1   Imaginons qu'un matin... 23

1.2   Ce qui se conçoit bien. 26

1.3   Rome ne s'est pas bâtie en une seule journée. 29

1.4   Un pas, fais un pas... 32

1.5   De quoi avez-vous peur? 34

1.6   Vous n'êtes pas responsable du sort du monde 37

1.7   Avez-vous connu des échecs dans le passé? . 39

1.8   Quand allez-vous refaire le monde?. 41

1.9   De quoi rêviez-vous étant jeune?. 43

1.10 Parlez-moi de vos idoles.   46

1.11 Qu'est-ce qui vous irrite ?   48

1.12 Ce projet est-il encore valable ?   50

Chapitre 2. Nul n'est une île **53**

2.1 Sortez !   55

2.2 Trouvez un mentor   58

2.3 Pratiquez !   61

2.4 L'avocat du diable   64

2.5 La chasse aux Air Lousses   67

2.6 Trouvez des gens anormaux (pour l'instant) . . .   69

2.7 Apprenez à demander de l'aide   71

2.8 Partagez vos craintes   73

2.9 Trouvez un ou plusieurs partenaires.   75

2.10 Qui se ressemble s'assemble   78

2.11 Parle plus bas car on pourrait bien
       nous entendre.   81

2.12 Reprenez contact   84

**Chapitre 3. Un peu de ménage ne fait jamais
               de tort** **87**

3.1 Sus aux envahisseurs !   90

3.2 Transformez les complices en amis   93

3.3 Un nouveau projet à l'horizon ?   96

3.4 Larguez les amarres !   98

3.5 Avez-vous un deuil à faire ?   100

3.6 C'est la faute à qui, déjà ?   102

3.7 Branle-bas dans votre garde-robe !   105

3.8 Du ménage dans vos finances   107

3.9 Une nouvelle vision de vous-même   110

3.10 Du ménage dans vos croyances............ 112

3.11 Du ménage dans vos attentes face aux autres. 114

3.12 Ne vous laissez pas tirer vers le fond........ 117

Chapitre 4. L'importance de la vitalité........... **121**

4.1 Un peu d'exercice aujourd'hui?............ 123

4.2 Une nouvelle diète pour la journée.......... 125

4.3 Pomponnez-vous..................... 128

4.4 Dites merci........................ 130

4.5 Hédonisme, quand tu nous tiens........... 132

4.6 Le plaisir eudémonique................. 135

4.7 Détente et sérénité................... 137

4.8 Un peu plus haut, un peu plus loin.......... 139

4.9 Des émotions positives à la carte.......... 141

4.10 Savourez!........................ 143

4.11 Un peu de gratitude, tout de même!........ 146

4.12 La liste de vos accomplissements.......... 148

Chapitre 5. Mieux-être et développement personnel...................... **151**

5.1 Devenez médecin. C'est bon pour vous...... 154

5.2 Lisez une biographie.................. 156

5.3 En toute amitié..................... 159

5.4 Une visite au musée.................. 161

5.5 Une lecture édifiante tous les matins....... 164

5.6 Une formation-éclair sur les gens toxiques.... 167

5.7 Une leçon sur l'intégrité................ 170

5.8 Jetez du lest...................... 172

5.9 Sus à l'autosabotage!................. 174

5.10 Les compétences, ça se développe!........ 176

5.11 Chassez ces pensées négatives 179

5.12 Célébrez! Vous le méritez bien. 181

Chapitre 6. Des champs de force à maîtriser 185

6.1 Et si vous ne faites rien? 187

6.2 Projetez-vous... pour la chance! 190

6.3 Ramenez la semaine à sept jours. 192

6.4 Vous ne vous décevriez pas, n'est-ce pas? . . . 195

6.5 Vos moments de faiblesse 198

6.6 Récompensez-vous souvent mais modérément 200

6.7 Imposez-vous un «contrôle parental» 203

6.8 Établissez un poste-frontière 205

6.9 La distance... a de l'importance 207

6.10 Routine et engourdissement. 210

6.11 Obligez-vous! 213

6.12 Votre mandala personnel 215

Conclusion.   Le goût de la réussite 219

L'histoire sans fin 219

Une responsabilité pour vous 220

Pour revenir (une dernière fois) sur *Le Secret* 223

Lectures suggérées 225

Pour aller plus loin 227

Introduction

VOUS AVEZ ÉTÉ DÉÇU EN LISANT *LE SECRET*?

L'optimisme, c'est aussi de dire qu'il y a
de la tristesse dans la vie, du malheur.
Dire que tout va bien, que tout va bien se passer,
ce n'est pas de l'optimisme. C'est de la bêtise.

– CÉDRIC KLAPISH

Vous avez donc lu *Le secret*. Vous l'avez lu et vous l'avez mis en pratique. Vous avez formulé des souhaits et vous les avez visualisés. Par exemple, vous avez collé sur votre pèse-personne un post-it affichant votre poids idéal et vous l'avez regardé chaque jour. Mais, trois semaines plus tard, vous aviez encore engraissé! Quel paragraphe avez-vous oublié de lire? Il faut bien que vous soyez en faute puisque vous n'avez pas maigri...

Vous souhaitiez devenir riche. Tous les soirs, vous vous êtes couché en vous disant que la bonne fortune vous sourirait très prochainement. En conséquence, vous avez pris un peu d'avance en dépensant plus et, quelques mois plus tard, votre situation financière a franchement dégénéré. Qu'est-ce qui s'est passé? Vous visualisiez pourtant assez bien votre richesse prochaine... Vous visualisiez même un

chèque en ouvrant une enveloppe d'Hydro-Québec...
Pourtant, malgré toutes les belles images que vous avez
envoyées à votre subconscient, vous êtes aujourd'hui plus
pauvre qu'avant *Le secret*. C'est frustrant, n'est-ce pas?
Que s'est-il passé?

Voici ce qui s'est passé : vous avez été berné. Vous
avez été charmé par l'idée qu'il suffisait de visualiser une
chose pour qu'elle se produise. Le livre était bon. Le film
était envoûtant. Mais tout ça n'était que du vent. Vous aurez
beau visualiser tout ce que vous voulez jusqu'à la fin de vos
jours, il ne se passera rien. Tout comme il ne s'est rien
passé (mis à part votre gain de poids et votre endettement
supplémentaire) depuis votre décevante lecture.

— *Pourquoi?*

Parce que votre vie répond aux lois de la nature et que la
nature exige qu'on sème pour récolter. Il faut une action si
on souhaite provoquer une réaction. Il faut donner pour
recevoir et, si vous n'êtes pas prêt à vous investir, la vie ne
vous donnera RIEN. NOTHING. NADA. C'est tout!

Il faut poser des gestes pour provoquer des réactions.
Non pas que l'optimisme soit à proscrire. Nous verrons plus
tard qu'elle doit être de mise, mais l'optimisme seul ne suffit
pas. Sans action, l'esprit le mieux intentionné du monde ne
peut rien réaliser. Vous aurez beau souhaiter que votre café
soit plus chaud, le simple fait de le regarder et de vous
imaginer qu'il l'est n'aura aucun impact. Il vaudrait mieux le
placer au micro-ondes 30 secondes. Il en va de même si
vous souhaitez que cette promotion vous soit offerte :
quelques efforts supplémentaires auront plus d'impact
qu'une visualisation, aussi positive soit-elle.

Vous souhaitez améliorer votre vie? Le livre que vous avez entre les mains vous y aidera en autant que vous soyez prêt à vous investir.

Alors, qu'est-ce que ce sera? Qu'est-ce qui vous ferait plaisir? Qu'aimeriez-vous améliorer au fil des prochaines semaines?

❑ Votre vie professionnelle? Vous aimeriez accéder à un autre emploi, vous mériter une promotion ou faire grandir votre influence dans votre emploi actuel? C'est possible. En autant que vous acceptiez de jouer au jeu de la vie.

❑ Votre situation financière? Vous en avez assez de lire les conseils d'experts en placement dans les journaux parce que, justement, vous n'avez pas un sou à placer? Vous aimeriez reprendre votre situation financière en mains et cesser de trembler chaque fois que vous répondez au téléphone parce que vous redoutez vos créanciers? C'est possible. En autant que vous soyez prêt à suivre les règles du jeu de la vie.

❑ Votre santé? Il y a des lustres que vous n'avez pas vu vos orteils parce que votre tour de taille occupe tout votre champ de vision? La simple idée de monter un escalier vous fait rougir et vous laisse pantelant? Vous aimeriez être capable de vous rendre au sous-sol et en revenir sans devoir faire une pause à mi-chemin? C'est possible. En autant que vous soyez prêt à jouer.

❑ Votre vie amoureuse? Vous rêvez d'une véritable complicité avec la personne qui partage votre vie? Ou vous aimeriez vous trouver un compagnon ou une compagne de vie? C'est possible. En autant que vous soyez prêt à vous lancer dans le jeu.

Remarquez que vous pourriez également choisir toutes ces réponses et même en rajouter quelques-unes. Tout est possible. Le succès est là, tout près de vous, attendant que vous lanciez les dés et que vous fassiez votre premier mouvement.

— Un jeu?

Oui, un jeu! Ce livre n'est pas simplement un autre ouvrage de développement personnel. Il ne vous présente pas une démarche que vous lirez et que vous oublierez par la suite. Il ne se retrouvera jamais sur la pile de livres de développement personnel qui devaient supposément changer votre vie, que vous avez lus puis oubliés. Vous n'êtes même pas obligé de le lire au complet. En effet, comme vous le découvrirez dans le premier chapitre, ceux qui n'aiment pas lire pourront en bénéficier en ne lisant que quelques mots chaque jour. Vous pourriez même, si vous préférez, ne lire qu'un chapitre et vous contenter de recevoir un défi par courriel à chaque jour. Le succès ne se crée pas dans les livres. Il se bâtit dans la vraie vie.

La vie est un jeu. Votre partie a débuté le jour de votre naissance. Au fil des ans, vous avez compté des points. Vous en avez perdu. Vous avez eu de bonnes périodes et vous avez fait de terribles gaffes.

Ce ne sont pas vos parties passées qui importent. Elles appartiennent à l'histoire et, avouons-le, elles ne méritent pas toutes d'être célébrées. Oubliez vos statistiques antérieures. Ce sont vos parties futures qui constitueront dorénavant l'enjeu de vos journées.

Parce que vous vous apprêtez à découvrir les règles du jeu. Comment il fonctionne. Comment on gagne. Vous méritez plus et vous allez maintenant commencer à le prouver. Quel que soit votre âge ou votre situation actuelle, vous pouvez connaître le succès instantané en 90 jours ou plus! Cela exigera des efforts, de l'acharnement et de la volonté. Mais ne vous en faites pas trop : nous en ferons un jeu et il vous suffira de suivre les instructions pour en sortir gagnant.

Vous méritez plus. C'est une évidence. Vous vous êtes peut-être résigné, au fil des ans, à stagner dans votre situation actuelle. Vous avez certes eu quelques soubresauts d'espoir en lisant Le secret ou d'autres ouvrages du même acabit, mais vous saviez que vous ne risquiez rien en lisant ces livres et qu'au bout du compte rien ne changerait. Vos années de résignation tranquille tirent à leur fin.

Agir, c'est ça le Secret. Faites-en votre devise et n'en doutez plus. Tournez cette page, lisez les instructions, procurez-vous quelques dés ou inscrivez-vous sur *www.jemeriteplus.com* et lancez-vous dans l'action. La partie est déjà commencée. Votre score actuel importe peu. C'est ce que vous ferez à partir de maintenant qui influencera le pointage final. Aurez-vous le courage nécessaire pour cesser de visualiser et enfin provoquer les événements?

C'est votre partie. Je vous souhaite de la gagner. Ce que vous avez vécu précédemment constituait votre saison régulière. Vous voici rendu au championnat. Désormais, tous les espoirs sont permis. Vous méritez plus, et si vous posez les bons gestes, vous le prouverez.

LES RÈGLES DU JEU

Le propre de toute morale est de considérer la vie
comme une partie que l'on peut gagner ou perdre,
et d'enseigner à l'homme le moyen de gagner.

— SIMONE DE BEAUVOIR

Nous voici donc au début de la partie. Votre objectif : gagner ! Mais qu'est-ce que ça peut bien vouloir dire ? Cela dépend… de vous, de vos aspirations, de votre désir de faire votre marque. Bref, c'est vous qui choisirez l'enjeu du match et qui déterminerez à quel moment vous aurez gagné.

Car ce ne sont pas les autres qui décideront si vous avez gagné ou perdu. Ceux qui vous entourent ont leur propre match à jouer et le vôtre ne les regarde pas. Ils pourront certes vous aider et vous pourrez faire de même, mais, au bout du compte, c'est vous qui saurez si vous avez gagné ou perdu. L'opinion des autres, si elle vous a contrôlé jusqu'à maintenant, sera bien moins importante au cours des prochaines années. Le temps où vous décidiez de vos agissements en fonction de l'opinion des autres est révolu. C'est votre partie, pas la leur.

De quoi aurez-vous besoin pour vous lancer ? Cela dépend également de vous. Si vous êtes du genre techno, vous ferez une première lecture de ce livre et vous vous inscrirez au site Web qui lui est consacré : *www.jemeriteplus.com.* Si vous êtes plus traditionnel, vous suivrez les instructions présentées dans la prochaine section.

— *Pour les traditionnels*

Si vous souhaitez vous mériter plus sans avoir recours à Internet, vous aurez besoin de deux dés : un à six faces et l'autre à douze faces. Tous les matins, à partir de demain, vous les brasserez et, selon le résultat obtenu, vous poserez le geste qui vous sera suggéré dans ce livre.

Comment ferez-vous ? Dans un premier temps, vous vous rendrez au chapitre correspondant au dé à six faces. Ainsi, si vous avez obtenu un 3, vous vous rendrez au chapitre 3. Si vous avez obtenu un 5, vous vous rendrez au chapitre 5. Vous saisissez le topo…

Ensuite, vous vous rendrez à la section du chapitre correspondant au résultat du deuxième dé et vous ferez ce qui vous est demandé. Rassurez-vous : vous n'avez pas à tout lire. Chacune de ces sections est structurée en deux blocs. Le premier bloc, en caractères gras, vous dit quoi faire aujourd'hui pour gagner votre partie. Si vous posez ce geste, vous vous rapprochez du succès. Ce n'est pas de la magie. C'est simplement semer pour récolter.

Le deuxième bloc, en caractères réguliers, vous explique pourquoi ce geste aura un impact positif sur votre vie. Il vous permet de comprendre les forces à l'origine de votre succès (ou de votre insuccès). Il vous permet de voir plus loin en découvrant quelles forces sont à l'œuvre dans votre vie et sur quels leviers vous pouvez appuyer si vous souhaitez améliorer votre sort. Il vous permet de faire preuve d'initiative et de ne pas suivre bêtement ce qui vous est présenté dans ce livre.

Ainsi, si vous lancez les dés et que vous obtenez un 3 et un 8, vous vous rendrez à la section 8 du troisième chapitre et vous ferez, dans la journée, ce qui vous y est proposé[1]. C'est tout! Si vous suivez ces instructions sur une base régulière, vous remarquerez que de belles choses vous arrivent. Vous ressentirez l'émotion grisante de ceux qui ont pris leur vie en mains. Vous vous sentirez vibrer. Vous vous sentirez plus heureux.

— *Pour les technos*

Si vous préférez recevoir chaque jour votre mission quotidienne par courriel, rendez-vous à *www.jemerite plus.com* et inscrivez-vous. Dans ce cas, ce livre vous servira davantage de référence. En effet, quand vous souhaiterez savoir pourquoi un geste vous est demandé, vous pourrez vous y référer.

La version techno présente plusieurs avantages. Premièrement, elle permet d'adapter votre mission quotidienne à ce qui se passe autour de vous. Ne soyez donc pas surpris si, le jour de la Saint-Valentin, l'accent est mis sur votre vie amoureuse ou si, en début d'année, je vous encourage à vous trouver de nouveaux projets. En version électronique, nous ne sommes pas limités à 72 missions quotidiennes différentes.

---

1. *Il arrivera que certaines activités constituent des préalables à l'activité que les dés vous indiquent. Dans ce cas, un avertissement vous redirigera au bon endroit.*

— *Votre pire ennemie : la myopie*

La démarche que je vous propose fonctionne. Tous les jours, vous vous rapprocherez de vos objectifs. Vous terminerez vos soirées avec le sentiment d'avoir progressé, avec l'impression de réussir.

En autant, bien entendu, que vous maîtrisiez la myopie qui vous a caractérisé jusqu'à maintenant. Cette tendance qui vous amène à privilégier le plaisir immédiat aux dépens de vos projets futurs. Voyons quelques exemples.

Si vous êtes fumeur, vous savez que vous devriez arrêter et vous vous dites que vous le ferez bien… un jour. Mais pas aujourd'hui. Non. Pas maintenant en tous cas. Pour l'instant, vous allez en allumer une en vous disant qu'éventuellement vous arrêterez. Vous sacrifiez votre santé future pour un plaisir instantané.

Si vous croupissez présentement sous les dettes, vous rêvez néanmoins d'une retraite prospère et vous vous dites que, tôt ou tard, il vous faudra bien gérer vos finances avec plus de rigueur. Mais pas aujourd'hui. D'autant plus qu'un nouveau modèle de iPhone vient d'être lancé et que VISA a gentiment augmenté votre limite de crédit la semaine dernière! Aujourd'hui, vous allez consommer.

Si vous détestez votre emploi actuel, vous savez que vous devriez revoir votre CV, aller chercher quelques formations pour vous mettre à jour et mettre en branle un plan d'action qui vous permettra de décrocher un job dans lequel vous vous réaliserez. Mais pas aujourd'hui. Aujourd'hui, tout comme hier d'ailleurs, vous allez vous rendre au travail en maudissant votre patron et en criant à l'injustice si on vous fait savoir que vous manquez de motivation.

Vous savez tout à fait ce que vous devriez faire aujourd'hui pour améliorer votre sort et profiter davantage de la vie parce que vous méritez plus. Vous le savez et vous êtes prêt à vous lancer dans l'action... un jour prochain... ou lointain. En attendant, vous vous entêtez à répéter des comportements autodestructeurs qui vous éloignent de tout ce à quoi vous pourriez aspirer.

Mais si vous ne posez pas de gestes concrets aujourd'hui, il ne se passera rien plus tard. Votre futur se crée à partir des gestes que vous posez aujourd'hui. Si vous ne faites rien pour améliorer votre situation, celle-ci ne changera pas ou elle évoluera pour le pire. Ces choses à faire, ce sont les instructions qui vous seront proposées chaque jour, en lançant les dés ou en recevant votre courriel personnalisé.

— *Et puis?*

La décision vous revient maintenant. Vous pouvez faire comme si l'achat de ce livre était une erreur et simplement le refermer. Dans ce cas, vous aurez perdu quelques dollars et vous pourrez vous renfoncer dans le contentement tranquille et une illusion d'impuissance qui vous amène à vous satisfaire d'une fraction de ce que la vie peut vous offrir. Vous pourrez toujours, quand le doute se fera une place dans votre esprit, retourner à la lecture de ces livres de motivation qui vous font croire que le succès se gagne facilement, qu'il suffit d'être positif pour que les meilleures choses arrivent.

Ou vous pouvez poursuivre votre lecture, vous procurer ces fameux dés ou vous inscrire sur *www.jemeriteplus.com* et, dès demain, commencer à changer votre univers. Le temps où vous courriez d'un livre à l'autre est maintenant révolu. La partie vient de débuter.

Chapitre 1

DES PROJETS,
ENFIN DES PROJETS !

Nous ne sommes, dans le présent,
que souvenir et projet.

— JEAN D'ORMESSON

Qu'est-ce qui fait que certaines personnes réussissent et que d'autres, sans échouer, passent à côté de leur vie et se retrouvent, au bout du compte, avec une faible fraction de ce à quoi ils auraient pu aspirer ?

Depuis des siècles, on tente de comprendre ce qui distingue principalement les gens qui réussissent. Certains ont pensé que ça pouvait être une simple question de chance. Selon eux, certains seraient bénis des dieux tandis que les autres seraient laissés pour compte. De nombreux scientifiques ont prouvé qu'il n'en était rien.

Certains, Lewis Terman notamment, ont émis l'hypothèse que c'est le quotient intellectuel qui prédestine au succès. Les recherches de Terman ont finalement infirmé cette hypothèse, mais une évaluation plus exhaustive des résultats a démontré que les gens qui réussissent partagent trois caractéristiques.

1. *Ils se donnent des objectifs précis dans les diverses sphères de leur vie.* Ces objectifs deviennent leur Nord magnétique. Sachant où investir leurs efforts, ils cessent alors de se contenter d'être les marionnettes de leur environnement. Ils ne se contentent pas du siège passager de leur existence. Ils savent où ils s'en vont.

2. *Ils ont appris à diviser leurs projets en petites étapes.* De cette manière, chaque étape leur semble plus facile à réaliser et leur capacité à se lancer dans l'action est accrue.

3. *Ils ont appris à persévérer.* Ils ont compris qu'on arrive rarement au succès du premier coup et que le succès tient en grande partie à la capacité de se relever, de se retrousser les manches et de recommencer. Ils sont résilients.

Les douze activités que vous trouverez dans ce chapitre vous permettront de définir des objectifs et de débuter leur réalisation. Vous aurez la possibilité de développer votre persévérance dans les activités du chapitre 6. Sortez donc vos dés et lancez-les!

1.1 Imaginons qu'un matin...

A<small>VERTISSEMENT</small>

Si les dés vous ont déjà amené ici, continuez à bonifier votre liste sur laquelle vous avez déjà travaillé. Il est certain que vous avez eu d'autres idées depuis.

Imaginons qu'un matin, au détour d'un sentier, votre pied heurte une lampe que vous ramassez et tentez de nettoyer. Pendant le frottage, un génie en sort et vous offre de réaliser trois de vos vœux. Mettez sur papier ce que vous demanderiez. Ne vous censurez pas. Écrivez tout ce qui vous ferait plaisir.

Il vous sera impossible de faire passer votre vie à un niveau supérieur tant que votre esprit n'aura pas été capable de visualiser ce qui est possible et ce que vous ressentirez quand cela se produira. Votre vie future sera le résultat de vos pensées d'aujourd'hui parce que celles-ci influencent votre niveau d'énergie et votre capacité à vous lancer dans l'action. Sans projet, vous ressentez de l'apathie et, comme vous ne vous attendez à rien, vous ne provoquez rien et c'est exactement ce qui se produit. Ce que cette activité vous demande, dans les faits, c'est ce que vous aimeriez réaliser à court, moyen ou long terme. Tant que vous n'aurez pas mis votre réponse à cette question sur papier, vos désirs ne seront que des vœux pieux, des fantaisies qu'on se repasse en sachant qu'il s'agit de simples fabulations.

Si vous êtes inscrit au site *www.jemeriteplus.com,* vous pouvez télécharger un formulaire qui vous permettra de mettre vos souhaits sur papier en cliquant sur *téléchargement* puis sur *1.1.*

Les recherches ont démontré que, pour connaître un véritable succès, l'équilibre est primordial. Je ne vous conseille donc pas de placer tous vos vœux dans la sphère « vie professionnelle ». N'oubliez pas qu'il en existe d'autres : harmonie familiale, situation financière, vie amoureuse, bien-être personnel, implication communautaire, santé, etc. Pour chaque souhait, indiquez quelle sphère de votre vie il touche. Mentionnez également pourquoi la réalisation de ce vœu vous ferait plaisir. Ressentez déjà le plaisir que vous vivrez en le réalisant.

Ne vous censurez pas. Ce n'est surtout pas le temps d'être raisonnable ou de redouter ce que les autres penseront en lisant votre travail. Vous n'aurez pas à montrer cette liste à qui que ce soit. Payez-vous donc la traite et, si vous vous retrouvez en panne d'inspiration, louez le film *Maintenant ou jamais* (*The Bucket List* en anglais) ce soir, avant de vous lancer dans la rédaction de vos souhaits ou écrivez pendant toute la journée, à mesure que les idées vous viennent. Les idées sont fugaces et il est fort probable qu'elles s'envoleront même si vous pensez que vous vous en rappellerez au cours de la soirée.

De plus, ne vous arrêtez pas nécessairement à trois souhaits. De toute manière, certains d'entre eux vous sembleront futiles ou inutiles demain. Allez-y au rythme de votre imagination et laissez le portrait d'un futur souhaitable s'imposer à vous. Écrivez plus de vingt idées si vous le désirez ou, comme dans le film de Rob Reiner, rendez-vous à cent.

Quand vous aurez terminé, n'allez pas plus loin. Ce n'est pas aujourd'hui que vous rédigerez votre plan d'action. Vous êtes pour l'instant en train de dresser la liste de vos futurs probables et, déjà, votre vie a commencé à changer. C'est déjà très bien pour une journée! Bravo!

1.2   Ce qui se conçoit bien...

Choisissez, dans la liste des projets que vous avez dressée, celui qui vous tient le plus à cœur maintenant et résumez-le dans une phrase qui débutera par les mots «Je veux...» et qui indiquera le plus positivement possible ce que vous entendez réaliser.

Boileau écrivait que «ce qui se conçoit bien s'énonce clairement et les mots pour le dire viennent aisément», et il avait raison. Les souhaits alambiqués, confus ou tarabiscotés ne mènent nulle part. Vous souhaitez réaliser quelque chose? Vous devez être le plus précis possible avant même de vous lancer, car, si vous ne savez pas où vous allez, vous risquez de vous retrouver très loin de ce qui vous comblerait. Il n'y a rien comme un objectif clair pour permettre d'investir tous nos efforts dans sa réalisation. Pour ces raisons, l'énoncé de votre projet devrait respecter certaines règles.

Premièrement, il doit débuter par «je veux». Non pas par «J'aimerais» ou «Ça serait l'fun si...». Fini les hésitations! C'est votre vie qui est en jeu, et ce n'est pas rien!

Il doit également être précis. Les souhaits vagues ne mènent nulle part. Par exemple, «J'aimerais être plus riche» est mauvais. Qu'est-ce que ça veut dire, plus riche ? Pourquoi pas, «J'aimerais payer toutes mes dettes et accumuler un fonds de secours de 10 000 $»? Plus vous serez précis et plus vous pourrez constater votre progression.

Votre objectif doit être limité dans le temps. Quand devra-t-il être atteint ? La semaine prochaine ou dans deux ans ? Si vous ne vous fixez pas une date limite, vous ne vous sentirez jamais pressé de mettre les bouchées doubles si vous prenez du retard. Vous avez besoin de pouvoir constater, au moment choisi, que vous avez gagné ou échoué.

Votre objectif doit être situé dans votre zone de contrôle et il doit vous enthousiasmer. Rien ne sert de vous donner comme objectif d'influencer la température ou de transformer un gouvernement de droite en gouvernement de gauche. Cela ne vous servirait à rien de mettre des efforts si vos chances de réussir sont nulles. Trouvez quelque chose qui vous enthousiasme et formulez-le en respectant les quelques règles que je viens de vous présenter.

Votre objectif doit-il finalement être réaliste ? Cette question est plus délicate parce que, pour plusieurs, *réaliste* veut dire *raisonnable.* Et, trop souvent, *raisonnable* veut dire *inférieur à ce qui serait possible.* Alors voici la règle : votre objectif a le droit d'être le plus *flyé* possible, en autant que VOUS le pensiez encore réalisable. Ce n'est pas aux autres de déterminer s'il vaut la peine d'être poursuivi et ce sera à vous de décider, plus tard, s'il vaut la peine d'être maintenu.

Qu'auriez-vous répondu au Président Kennedy quand il a proposé comme objectif d'envoyer un homme sur la lune ? Qu'auriez-vous répondu à Guy Laliberté s'il vous avait annoncé qu'il souhaitait faire de son cirque une entreprise à l'échelle planétaire ? Que ce n'était pas possible ? Dans ce cas, j'espère qu'ils ne vous auraient pas écouté... Il n'appartient pas aux autres de juger de la valeur de votre objectif tant que sa formulation répond aux règles que nous venons de formuler.

1.3 Rome ne s'est pas bâtie en une seule journée

AVERTISSEMENT

Si les dés vous ont mené ici mais que vous n'avez pas encore procédé à l'activité 1.2, faites plutôt celle-ci aujourd'hui.

Prenez un des projets que vous avez verbalisés lors de l'activité 1.2 et faites la liste de toutes les étapes que vous devrez franchir pour en faire un succès. Prenez une feuille, reproduisez votre phrase « Je veux », inscrivez la date du jour et la date où vous souhaitez avoir réalisé votre objectif, puis faites la liste de toutes les étapes que vous devrez franchir d'ici là.

Les projets d'envergure peuvent être intimidants. Les recherches ont en effet prouvé que si vous envisagez la réalisation d'un projet en vous contentant de regarder l'énoncé que vous avez mis sur papier lors de l'activité 1.2, vous n'y arriverez pas parce que vous risquez de vous décourager devant l'ampleur de la tâche.

Par contre, si vous divisez ce projet en petites étapes, il devient plus envisageable parce que chaque étape vous semble possible à réaliser. C'est ce que vous ferez aujourd'hui. Prenez un des projets que vous avez énumérés lors de l'activité 1.2 et inscrivez-en les informations dans un tableau semblable à celui-ci :

Nom du projet :		
Étapes	Durée	Date limite de réalisation
Date de réalisation du projet :		

Inscrivez le nom du projet, la date du jour et la date où vous souhaitez pouvoir crier victoire. Ensuite, dressez la liste de chacune des étapes que vous devrez entreprendre, le temps que chaque étape devrait prendre et la date où elle doit être terminée si vous souhaitez avoir réalisé votre projet selon l'échéancier que vous vous êtes fixé.

Si vous êtes inscrit au site *www.jemeriteplus.com*, vous pouvez télécharger un tableau imprimable qui vous permettra de faire ce travail en cliquant sur *téléchargement* puis sur *1.3.* Faites la liste de toutes les étapes que vous devrez franchir pour mener ce projet à terme et, quand ce sera terminé, examinez-la et réalisez que chaque étape, prise individuellement, n'exige pas tant d'effort que ça. Que vous pouvez très bien les exécuter sans hypothéquer votre futur ou nuire à vos obligations actuelles.

Cette activité évitera les découragements, comme «Je ne sais pas par où commencer...», ou «Je me lance dans trop grand pour moi» ou «Quelqu'un d'autre que moi pourrait y arriver». Elle concrétise votre projet. Vous pensiez que c'était impossible et voilà que ça le devient. Bravo! Vous venez de comprendre que tout grand voyage débute par un premier pas. En divisant chaque grand projet en petites étapes, vous le rendez davantage possible, davantage concret.

1.4   Un pas, fais un pas…

AVERTISSEMENT

Si les dés vous ont mené ici mais que vous n'avez pas encore procédé à l'activité 1.3, faites plutôt celle-ci aujourd'hui.

Prenez le projet que vous avez divisé en étapes lors de l'activité 1.3 et faites au moins, aujourd'hui, la prochaine étape qui vous mènera vers son accomplissement.

Le titre de cette activité fait référence à une chanson du Big Bazar, jadis interprétée par Vava : *Si tu bouges de 20 cm le pied gauche ou le pied droit, tu feras peut-être des kilomètres. C'qui compte c'est le premier pas… Un pas, fais un pas, mais surtout n'en reste pas là. Un pas, fais un pas…*

Votre activité de la journée devrait être à la fois facile à faire et porteuse de conséquences positives. Facile à faire puisque vous avez, à l'étape 1.3, divisé votre projet en petites bouchées faciles à ingurgiter. Il vous suffit aujourd'hui de faire preuve d'un peu de discipline et de vous lancer en réalisant une des étapes que vous avez identifiées. Pourquoi ne pas le faire ? Ce projet ne vous tient-il pas à cœur ? Vous n'avez sûrement pas envie de passer à côté de votre vie…

Porteuse de conséquences positives parce que vous réaliserez, une fois l'activité terminée, que vous vous êtes rapproché de votre objectif final et cela devrait provoquer un sentiment très positif en vous. Après tout, la majorité des gens se contentent de rêver à un succès hypothétique qui surviendra un jour. Vous venez, pour votre part, de poser un geste qui vous rapproche de ce succès. Bravo!

À la rigueur, si vous manquez de temps ou si vous êtes fatigué, prenez l'étape la plus facile et réalisez-la. Puis répétez le tout demain. Laissez lentement monter en vous le sentiment de confiance qui vous permettra peu à peu de vous atteler à des défis plus grands, des étapes plus importantes. Prenez également le temps, juste pour contribuer à faire grandir cette confiance en vous-même, de cocher ou de surligner chacune de ces étapes à mesure que vous les complétez.

Vous vous rappelez cette citation de Neil Armstrong qui disait que c'est un petit pas pour l'homme mais un grand pas pour l'humanité? Vous venez de réaliser l'équivalent à votre échelle. Vous êtes désormais en route. Vous n'êtes plus sur la piste à espérer que vos projets décollent un jour. Vous êtes sur votre lancée.

En conséquence, prenez le temps ce soir de vous féliciter. Qu'est-ce que ce sera? Un dessert particulièrement délicieux (à éviter si un de vos projets est de perdre du poids)? Un bon verre de vin (à éviter si vous souhaitez diminuer votre dépendance)? Peu importe ce que ce sera, profitez-en! Vous êtes sur la voie de la réussite!

Et prenez le temps, avant de vous coucher ce soir, de relire les étapes qu'il vous reste à franchir. Vous en ferez peut-être une autre demain. Autant vous préparer mentalement et laisser votre subconscient préparer le terrain pendant la nuit. C'est fou ce que votre esprit recèle de ressources. Misez sur elles et ne craignez pas, maintenant que vous êtes engagé, de continuer sur la voie du succès.

1.5   De quoi avez-vous peur?

AVERTISSEMENT

Si les dés vous ont mené ici mais que vous n'avez pas encore procédé à l'activité 1.3, faites plutôt celle-ci aujourd'hui.

Prenez le projet que vous avez divisé en étapes lors de l'activité 1.3 et faites au moins, aujourd'hui, la prochaine étape qui vous mènera vers son accomplissement. Profitez-en pour faire la liste de toutes les peurs qui vous paralysent en ce moment.

Le plus grand obstacle qui nous sépare du succès réside en nous. C'est la peur. La peur de ce qui se passera si un projet ne se réalise pas et même la peur de ce qui se passera s'il est couronné de succès. Nous sommes foncièrement *pissous*! Voyons quelques exemples.

❑ Traductrice pour une importante société, Suzanne songe depuis des années à se lancer à son compte à titre de travailleur autonome. Mais elle craint le regard des autres si jamais son aventure n'avait pas de succès. En conséquence, elle continue, de plus en plus mécontente, à se pointer chaque jour au travail.

❑ Pierre aimerait obtenir la promotion à laquelle il aspire mais il craint que, s'il devient leur patron, ses amis actuels s'éloigneront de lui. Il hésite.

❑ Manon est bien préparée. Elle a ses cartes professionnelles. Elle a son site Web. Il ne lui reste qu'à prendre le
téléphone et contacter un premier client potentiel. Elle
est rendue là mais, depuis quatre jours, elle n'a
absolument rien fait. Elle craint que les gens lui
répondent non.

Tant que vous entretiendrez vos peurs, vous reporterez
ce que vous devez faire aujourd'hui à *und'cé jour*[2]. Il faut
donc leur faire face et vous poser quelques questions.
Quelle est la pire chose qui pourrait arriver si vous allez de
l'avant ? Est-ce la fin du monde si ce client répond à Manon
qu'il n'est pas intéressé ? Non, car elle passera au prochain
et aura amélioré sa performance au téléphone. Pourquoi les
amis de Pierre le laisseraient-ils tomber si celui-ci s'avère un
bon patron ? Est-ce que ce serait la fin du monde si les
finances de Suzanne connaissaient un ralentissement
quelque temps avant que son entreprise prenne sont envol ?

Faites la liste des gens que vous admirez aujourd'hui. La
plupart ont connu l'échec avant d'enfin connaître le succès
(renseignez-vous, si vous en doutez). Cependant, ils
considéraient davantage ces contretemps non pas comme
des échecs, mais plutôt comme des rites initiatiques qui les
rendaient plus forts. Vous ne devriez pas avoir peur de faire
ce qui vous revient. Vous devriez en être fier.

Rappelez-vous d'ailleurs les plus grandes peurs que
vous avez eues dans votre vie. Étaient-elles fondées ?
Probablement pas. Demandez-vous si vos craintes sont
réelles. Dans l'affirmative, améliorez votre plan pour en
réduire les risques. Mais ne renoncez pas à vos rêves. De

---

2. *Pour beaucoup de gens, il s'agit du huitième jour de la semaine.
Mais il ne se présente jamais !*

plus, tout simplement parce que votre confiance grandira rapidement, vous remarquerez que plus vous vous lancez et moins vous avez peur. La vie elle-même est une maladie dont nous mourrons tous. Autant avoir du plaisir et le sentiment qu'on s'accomplit pendant qu'elle dure.

1.6 Vous n'êtes pas responsable du sort du monde

AVERTISSEMENT

Si les dés vous ont mené ici mais que vous n'avez pas encore procédé à l'activité 1.3, faites plutôt celle-ci aujourd'hui.

Prenez le projet que vous avez divisé en étapes lors de l'activité 1.3 et faites au moins, aujourd'hui, la prochaine étape qui vous mènera vers son accomplissement. Profitez-en également pour vous demander si ce n'est pas un sentiment de culpabilité qui vous a empêché, jusqu'ici, de vous réaliser.

Maryse en avait assez de son couple. Depuis des années, elle ne ressentait plus rien pour son époux et elle avait envie de vivre à nouveau la fièvre d'une relation vraiment amoureuse. Mais voilà : Éric avait été là et l'avait épaulée pendant qu'elle étudiait. Si elle le quittait aujourd'hui, elle se sentirait vraiment *cheap*. Alors elle restait, amère mais fidèle au poste.

Ce qu'Étienne a appris au travail, il le doit à son patron. C'est lui qui lui a fait confiance alors qu'il n'était qu'un jeunot et, au fil du temps, Étienne est devenu un véritable professionnel de la vente. Le problème, c'est que l'entreprise de son patron va mal. Très mal, même. De mauvaises décisions ont plombé les perspectives à long terme. Étienne pourrait facilement trouver un emploi deux fois plus payant chez un concurrent, mais il se sent coupable d'abandonner le navire. Il se trouvera un nouvel emploi une fois que le bateau aura coulé...

Ce serait fort agréable que la vie soit un champ de roses. Que tout se passe bien et qu'on puisse avancer sans créer de remous, sans décevoir qui que ce soit. Mais on ne fait pas d'omelette sans casser des œufs et, quelquefois, il faut en décevoir certains pour avancer soi-même.

Qu'est-ce qui vous retient? Qui craignez-vous de blesser? Comment vous sentez-vous à l'idée de prendre votre envol, de réaliser vos rêves? Pensez-vous que Maryse rend service à Éric en restant avec lui malgré tout? Ne vaudrait-il pas mieux qu'elle le libère pour le laisser, lui aussi, aller de l'avant? Et qu'y gagnera Étienne s'il refuse les offres qui lui sont faites actuellement? Sera-t-il mieux sans emploi quand son employeur actuel aura fait faillite?

Vous n'êtes pas responsable du sort du monde. Je sais que cela va vous chagriner de l'apprendre si vous êtes mégalomane, mais les mots sont lâchés. Vous n'êtes pas irremplaçable et il se peut même que, dans certains cas, vous soyez un embêtement plutôt qu'un actif. Il y a combien de gens qui se sont sacrifiés dans des couples sans avenir en s'étiolant au lieu de retrouver leur envie de vivre ailleurs? Il y a combien d'employés loyaux qui se sont fait mettre à la porte quand leur patron a décidé de passer à autre chose? Ne sacrifiez pas vos rêves de peur de faire de la peine à quelqu'un. Si vous le faites, vous finirez par haïr ces gens.

La vie d'Éric est entre ses mains. Celle du patron d'Étienne lui revient. Il est tout à fait normal de quitter certaines situations si on souhaite poursuivre notre chemin. C'est ce que je souhaite à Maryse et à Étienne.

1.7   Avez-vous connu des échecs dans le passé?

AVERTISSEMENT

Si les dés vous ont mené ici mais que vous n'avez pas encore procédé à l'activité 1.3, faites plutôt celle-ci aujourd'hui.

Prenez le projet que vous avez divisé en étapes lors de l'activité 1.3 et faites au moins, aujourd'hui, la prochaine étape qui vous mènera vers son accomplissement. Profitez-en également pour chasser de votre esprit les échecs passés. Ceux-ci n'en étaient pas nécessairement. Transformez-les plutôt en victoires ou en leçons.

Il est possible que vous hésitiez à vous lancer, que vous fassiez seulement semblant de croire en un meilleur avenir parce que, dans le fond de votre pensée, des souvenirs d'échecs antérieurs vous hantent encore. Vous vous dites que, peu importe les efforts que vous investirez, vous êtes condamné à répéter les erreurs passées. Rien n'est plus faux.

Les êtres humains n'ont qu'une façon de devenir meilleurs avec l'âge : par essais et erreurs. Vous grandissez en agissant sur votre environnement. Certains gestes sont couronnés de succès, alors vous vous dites que vous les répéterez. D'autres sont catastrophiques, alors vous en tirez une leçon et vous vous promettez de ne pas les répéter.

Le problème, c'est quand vous ne tirez pas de leçon. À ce moment, vous restez prisonnier d'un évènement passé. Vous êtes alors bloqué et vous craignez de répéter l'erreur. Les recherches tendent à prouver qu'en plus d'être immobilisé, vous êtes moins heureux. Ne vaudrait-il pas mieux faire la paix avec le passé ?

Ce qui est passé est passé. Vos erreurs constituaient autant d'apprentissages, de leçons de la vie. Elles ne vous ont pas marqué au fer rouge et ne vous ont pas disqualifié dans la course au succès que vous menez actuellement. En fait, il vaut mieux avoir échoué et avoir appris que de ne jamais avoir appris de toute votre existence. En ce sens, vous devriez être fier de vos échecs ou, plutôt, de toutes les leçons que vous avez apprises à force de faire des essais et des erreurs. Elles vous ont rendu plus sage et plus fort.

Plaignez ceux qui ne prennent jamais de risques et qui ne font jamais d'erreurs. Ils n'ont pas encore réalisé tout leur potentiel. Ils sont des œuvres en devenir, des embryons. Alors que vous, vous êtes fort d'une gestation plus avancée, vous progressez. Vous êtes la somme de vos succès et de vos erreurs passées. Le savoir et la sagesse que vous pouvez en tirer, personne ne peut se l'acheter. C'est votre capital, un capital qui vous aidera à réaliser ce qui vous tient à cœur présentement.

Alors aujourd'hui, on ne laisse aucun souvenir négatif venir polluer notre plaisir de faire avancer nos projets. Ceux-ci sont importants et les erreurs du passé ne sont que cela : des erreurs. Nous en avons tiré une leçon et nous allons de l'avant. C'est dans le futur que vous passerez le reste de votre vie. Du passé, vous avez conservé quelques estampilles sur votre passeport. C'est tout. Bon succès aujourd'hui !

1.8 Quand allez-vous refaire le monde?

AVERTISSEMENT

Si les dés vous ont mené ici mais que vous n'avez pas encore procédé à l'activité 1.3, faites plutôt celle-ci aujourd'hui.

Prenez le projet que vous avez divisé en étapes lors de l'activité 1.3 et faites au moins, aujourd'hui, la prochaine étape qui vous mènera vers son accomplissement. Profitez-en également pour revoir l'échéancier de ce projet en vous demandant s'il n'y a pas des étapes que vous avez reportées à plus tard mais qui pourraient être faites plus rapidement.

Stéphane en avait assez de son couple. Il se promettait de prendre de bonnes résolutions une fois que son divorce serait prononcé. Il allait faire attention à lui. Il allait perdre du poids. Il allait refaire sa garde-robe... Puis Stéphane a réalisé que rien ne l'empêchait de faire tout cela immédiatement, sans attendre le divorce. Il a passé à l'action et, devinez quoi? La flamme s'est ravivée dans ce qu'il pensait être une histoire d'amour à jamais terminée. Aujourd'hui, il ne songe plus à la séparation.

Malgré ses soixante ans bien sonnés, Maude s'ennuyait d'apprendre. Elle s'était juré régulièrement que, dès le début de sa retraite, elle retournerait aux études. L'apprentissage lui manquait. Puis elle a entendu parler de la Télé-université. Elle s'est inscrite et, quatre ans plus tard, elle est encore aux études et elle obtiendra bientôt son certificat en psychologie.

Ce n'est pas parce que vous projetez des choses à faire dans le futur qu'elles ne sont pas faisables aujourd'hui. Stéphane attendait son divorce, Maude, sa retraite. Mais tous deux ont réalisé qu'il n'est pas nécessaire d'attendre pour entreprendre ce qui nous tient à cœur.

Et vous, y a-t-il quelque chose que vous reportez, en attendant que... même si vous pourriez le faire plus rapidement que prévu? Je vous invite aujourd'hui à répondre à cette question en procédant en deux temps.

❑   Y a-t-il une idée de projet à laquelle vous avez songé au début de ce jeu mais que vous avez mise de côté en vous disant que ce n'était pas encore le temps, que vous y reviendriez plus tard? Dans ce cas, prenez une feuille et lancez-vous! Avant de reporter aux calendes grecques quelque chose qui vous tient à cœur, assurez-vous que vous ne faites pas erreur.

❑   Prenez votre liste de projets que vous avez déjà préparée et relisez-la en vous demandant si des étapes que vous aviez prévues réaliser plus tard ne seraient pas réalisables dès maintenant. Dans l'affirmative, retravaillez votre échéancier.

Ces plans de match ne sont que des prévisions préliminaires. Ils peuvent être révisés à la lumière de toute nouvelle information. Ne vous en sentez pas prisonnier. Je ne vous accuserai jamais de triche si vous retravaillez vos échéanciers. C'est votre vie. C'est votre partie. Ce sont vos projets.

On rêve tous de changer le monde un jour... quand on sera prêt. Et on réalise un jour qu'on peut le changer dès maintenant. Il suffit de s'y mettre. Faites-le dès aujourd'hui!

1.9 De quoi rêviez-vous étant jeune?

AVERTISSEMENT

Le fait de devoir faire ce qui suit ne vous libère pas des obligations que vous avez prises envers vous-même pour la journée. N'oubliez pas de faire avancer un de vos projets aujourd'hui.

Prenez quelques instants aujourd'hui pour vous rappeler vos fantasmes d'enfance ou d'adolescence. De quoi rêviez-vous? Que souhaitiez-vous réaliser? Qu'est-ce qui vous emballait? Ces projets ou ces passions seraient-ils encore de mise aujourd'hui? Trouvez quelques projets que vous pourriez réintégrer dans votre vie d'aujourd'hui.

Il est bien entendu qu'au fil des ans, les gestes que nous posons nous inspirent des leçons qui font que nous développons de nouveaux comportements ou une nouvelle vision des choses. Mais, dans le fond, nous ne changeons pas tant que ça. Ce que vous êtes à la naissance vous suivra toute votre vie. C'est ce qui vous fait vibrer. C'est ce qui vous anime.

Le problème, c'est qu'avec le temps les pressions sociales peuvent faire que vous oubliiez ce que vous êtes vraiment pour vous conformer aux attentes de votre environnement. C'est de cette façon qu'un enfant qui adore le dessin le délaissera peu à peu à mesure que ses parents lui feront comprendre qu'une carrière en finance lui garantirait un meilleur avenir.

Je vous invite aujourd'hui à retrouver la personne que vous êtes vraiment. Replongez-vous dans votre enfance et remémorez-vous ces fantasmes qui vous animaient à ce moment. De quoi rêviez-vous? Quels talents ou quelles passions vous animaient? Retournez dans cette douce période où l'autocensure n'existe pas et où l'on se croit tout permis. Y a-t-il, parmi ces souvenirs, un projet que vous n'avez jamais osé concrétiser? Dans l'affirmative, pourquoi ne pas décider aujourd'hui qu'il est plus que temps de le mettre en branle? Prenez une feuille et listez les étapes. Puis lancez-vous!

Cela m'a bien aidé quand j'ai perdu mon emploi en 1991. Je me suis alors rappelé deux choses : tout petit, j'adorais la télé-série Jason King[3], une émission qui mettait en vedette un auteur de romans vivant chaque semaine des aventures rocambolesques. Plus vieux, j'adorais, le samedi, faire des mini-spectacles devant les enfants du voisinage sur une scène que nous avions montée avec des caisses d'oranges vides. Du coup, j'ai su que je souhaitais devenir auteur et conférencier et, depuis lors, je ne l'ai jamais regretté. Je suis devenu ce que je suis vraiment, la personne que j'avais reniée pendant des décennies. Qui avez-vous renié pour enfiler le personnage que vous jouez actuellement et que vous traînez avec vous depuis des années? Quel projet vous permettrait de vous retrouver réellement?

Prenez la journée pour remonter aux sources et vous rappeler ce qui vous animait à l'époque. Demandez-vous ensuite comment vous pourriez revivre cette ferveur avec des projets d'aujourd'hui.

---

3. *http://fr.wikipedia.org/wiki/Jason_King*

Nous ne changeons pas tant que ça. Nous nous adaptons et nous faisons pour le mieux, mais, en réalité, ce que nous sommes vraiment reste quelque part au fond de nous. Ne serait-il pas temps de le faire ressurgir pour devenir la personne nous sommes vraiment?

1.10 Parlez-moi de vos idoles

Pensez à l'une de vos idoles. Prenez le temps d'identifier ce que vous admirez chez elle. Qu'a-t-elle fait pour que vous lui vouiez une telle admiration? Pourriez-vous vous en rapprocher en vous donnant comme projet une réalisation semblable? Quel nouveau projet pourrait naître aujourd'hui, maintenant que vous réalisez ce qui vous fait sentir plus grand, ce qui vous rapproche de ce que vous êtes réellement?

Confucius a dit que le maître apparaît quand l'élève est prêt. Il entendait par là que tout enseignement, quelle que soit sa valeur, n'aura pas d'impact si la personne à laquelle il est destiné n'est pas prête à le recevoir. Parce que l'élève est comme un diapason et qu'il ne résonnera que si la vibration qu'on lui envoie correspond à ce qu'il est.

Le fait d'identifier une idole vous permet d'en apprendre davantage sur la fréquence à laquelle vibre votre propre diapason. Dans ce cas, cette fréquence sera souvent une valeur qui vous habite et qui, malheureusement, est peut-être oubliée. Voyons quelques exemples.

❏ L'idole de Martin se nomme Brendon Burchard. Ce spécialiste a fondé une entreprise qui a grandi rapidement et a atteint les 5 000 000 $ de chiffre d'affaires en moins de quatre ans. Cela fait vibrer Martin. Il décide de suivre les traces de son idole et il s'inscrit sans plus tarder au séminaire offert par Brendon.

❏ Marcia, une jeune professeure de français, a été particulièrement émue par le rôle d'Hilary Swank dans le film *Freedom Writer*. Dans ce film, le personnage principal redonne à sa classe de laissés-pour-compte le goût du dépassement, de la tolérance et de l'éducation. Ce personnage fait tellement vibrer Marcia qu'elle développera un projet spécial pour sa propre classe.

Pour mener à terme ce projet, commencez par identifier vos héros, les gens que vous admirez, ceux que, même si vous n'osez pas l'avouer ouvertement, vous aimeriez bien égaler. Choisissez-en un seul. Vous aurez l'occasion de vous pencher sur les autres un autre jour, quand les dés vous ramèneront ici.

Ensuite, explorez. Tentez de découvrir ce qui vous fait vibrer chez cette personne, ce qui fait qu'à vos yeux elle se démarque du lot et est si extraordinaire. Ce n'est pas par hasard que cette personne vous inspire. Elle affiche des valeurs ou des réalisations auxquelles vous aspirez. Sinon, elle vous indifférerait. Tentez d'identifier ce qui la distingue.

Demandez-vous ensuite ce que vous pourriez faire pour lui ressembler ? Quel projet pourrait démontrer que vous êtes animé des mêmes valeurs, des mêmes aspirations ? Comment pourriez-vous mettre en valeur ce qui vous anime mais qui, pour l'instant, reste en jachère dans votre for intérieur ? Devenez qui vous êtes vraiment et faites éclater le carcan artificiel que vous vous êtes formé au cours des ans.

1.11 Qu'est-ce qui vous irrite?

AVERTISSEMENT

Le fait de devoir faire ce qui suit ne vous libère pas des obligations que vous avez prises envers vous-même pour la journée. N'oubliez pas de faire avancer un de vos projets aujourd'hui.

Vivez plus consciemment aujourd'hui en constatant ce que vous appréciez de votre journée et ce qui vous irrite particulièrement. Pourriez-vous vous débarrasser de ce qui vous irrite et ainsi rendre vos journées plus intéressantes? Donnez-vous un projet en ce sens et commencez sa planification d'ici la fin de la journée.

Il existe deux manières d'améliorer notre situation. Nous pouvons penser positif et aspirer à tout ce qui nous ferait plaisir ou tout ce qui nous donnerait le sentiment de nous réaliser. Ou nous pouvons débuter plus simplement en nous demandant ce que nous n'aimons dans notre vie actuelle et ce que nous pourrions faire pour nous en débarrasser. Je vous invite aujourd'hui à vous concentrer sur ce qui rend vos journées moins intéressantes et à développer un plan de match pour remédier à la situation.

Qu'est-ce qui vous agace? Qu'est-ce qui nuit à votre bonne humeur pendant votre journée? Serait-ce la sélection musicale qui joue au bureau? Serait-ce les pointes d'humour douteuses d'un collègue? Serait-ce les attouchements de votre patron? Ou serait-ce des gens, dangereux à vos yeux, qui traînent sur votre parcours au retour du travail?

Identifiez l'un de ces irritants. Voilà, vous avez un nouveau projet! Téléchargez un formulaire 1.3 et trouvez un nom au projet. Ce pourrait être *Mettre un terme à l'humour irritant de Roger* ou *Réduire les risques de me retrouver face à ce gang de rue en revenant du travail le soir.*

Dressez la liste des étapes nécessaires à la réalisation du projet et débutez dès aujourd'hui. Dans certains cas, une simple confrontation suffira. Les projets n'ont pas à être complexes ou à long terme pour que leur réalisation vienne bonifier votre vie. Il suffit quelquefois d'une ou deux étapes et c'est fait : vous connaissez le succès! Dans bien des cas, vous serez ravi de constater le rapport effort-résultat impliqué. Et dire que vous supportiez cet irritant depuis tout ce temps! Tout ce qui vous est nécessaire, bien souvent, c'est un peu de courage. Cette capacité de communiquer aux autres ce qui vous énerve et, bien souvent, ce dont ils ne sont même pas conscients.

Profitez-en pour vous féliciter chaleureusement en fin de journée. Ressentez cette belle fierté associée au fait que vous êtes aux commandes de votre vie et que vous n'avez pas à subir certains irritants. Vous n'êtes pas un pantin obligé de supporter son environnement. Vous avez un certain contrôle sur celui-ci.

Si vous vous entêtez à supporter les irritants qui réduisent votre niveau d'énergie chaque jour, vous vous condamnez à ralentir la progression des projets qui vous tiennent à cœur. C'est normal. Il est bien plus difficile de s'attaquer chaque jour à l'étape suivante d'un projet si la musique ambiante, le comportement d'un collègue ou les gens qu'on croise déséquilibrent notre énergie.

1.12 Ce projet est-il encore valable ?

AVERTISSEMENT

Si vous n'avez pas encore défini de projet, relancez les dés. Cette activité ne vous servira à rien.

Reprenez votre liste de projets en cours et, pour chacun, demandez-vous si vous avez encore la flamme nécessaire pour les mener à terme. Si vous en avez encore envie, prenez la décision d'y mettre les bouchés doubles au cours des prochains jours.

Les projets ne se valent pas tous. Il y en a certains sans valeur que nous nous imposons comme si nous étions obligés même lorsqu'ils ne nous disent rien du tout. Combien de gens, par exemple, mentionnent un saut en parachute quand on leur demande ce qu'ils souhaitent réaliser avant la fin de leur vie ? Mais est-ce quelque chose dont ils ont vraiment envie ou est-ce l'impact des publicités qu'ils ont vues au fil des ans ? Il est temps de faire un peu de ménage dans votre lot de projets. Vous éviterez ainsi d'investir des efforts dans ceux que vous faites seulement semblant de concrétiser.

Reprenez la liste des projets que vous avez définis jusqu'à maintenant et, pour chacun d'eux, posez-vous les questions suivantes :

1. Est-ce que ce projet m'enthousiasme?

2. Est-ce que je suis prêt à y investir les efforts nécessaires?

3. Est-ce que les efforts que je devrai y investir m'empêcheront de mener à terme d'autres projets plus importants pour moi?

Si un projet ne vous mobilise pas, vous risquez de ne pas vous investir et, par ricochet, vous risquez de cesser d'investir des efforts dans les projets auxquels vous tenez. Si, pour prendre un langage organisationnel, votre portefeuille de projets contient des projets auxquels vous ne tenez pas vraiment, vous risquez de perdre de l'intérêt sur l'ensemble de vos projets. Ce n'est pas souhaitable.

Je vous invite donc à les reprendre un par un aujourd'hui pour déterminer si vous souhaitez les mener à terme. Vous n'avez pas à tous les mener de front, ne vous en faites pas. Vous pouvez décider de concentrer vos efforts sur certains et revenir sur d'autres par la suite. Mais vous ne pouvez pas vous permettre qu'un objectif peu intéressant vienne polluer votre bassin de projets.

Alors, s'il le faut, décrochez. Identifiez les projets futiles et sortez-les de votre portefeuille de projets en cours. Ce n'est pas honteux. Ce n'est pas un signe d'échec. C'est simplement que l'enthousiasme nous entraîne quelquefois à adopter des projets qui ne sont pas faits pour nous, mais qui le sont pour d'autres. Il est donc normal de s'en départir quand on le réalise.

De même, tous vos projets devraient être les vôtres. S'ils sont le résultat de pressions extérieures, vous devriez les oublier. Ce ne sont pas les vôtres et ils ne pourront pas vous motiver jusqu'à leur complète réalisation. Vous n'êtes pas là pour réaliser les rêves des autres. Les vôtres devraient vous occuper suffisamment.

Il n'y a aucune honte à abandonner un projet qui ne devait pas, au départ, figurer sur votre liste. Faites le ménage et investissez vos efforts là où ça compte.

Chapitre 2

NUL N'EST UNE ÎLE

J'ai rien demandé, je n'ai rien eu
mais j'ai fait ce que j'ai voulu!

— SERGE LAMA

Poursuivons notre périple afin de mieux comprendre ce qui distingue les gens qui réussissent. De nombreuses études ont déterminé qu'en plus d'avoir des projets, ils savent bien s'entourer. Ce serait là un important facteur de succès.

Remarquez que ce n'est pas étonnant. On aura beau vous vanter, dans les romans et biographies, l'histoire de personnes à succès s'étant bâties toutes seules, mais c'est une illusion de croire qu'il puisse en être ainsi. Nul ne peut se réaliser en vase clos, sans l'aide des autres.

Prenez un entrepreneur à succès. Certains diront qu'il s'est réalisé tout seul, mais qu'en est-il des employés qui se sont dévoués pour lui, des fournisseurs qui lui ont fait confiance et des clients qui l'ont encouragé?

Il en va de même de l'artiste dont le nom serait resté inconnu s'il n'avait pas pu compter sur un impresario de génie. Combien de gens des plus talentueux sont restés dans l'ombre parce qu'ils n'ont pas su s'entourer?

En fait, si vous tentez de réussir tout seul, vous vous condamnez à plusieurs choses. Premièrement, vous vous condamnez à refaire les erreurs de ceux qui sont passés par là avant vous. Cela peut avoir pour conséquence de vous décourager ou de vous ralentir. Imaginez les pertes de temps! En ayant recours aux autres, c'est comme si vous partiez à l'aventure avec une carte du territoire. De cette façon, vous n'aurez pas à jouer les cartographes pour mieux connaître les lieux.

Deuxièmement, vous vous privez d'une grande partie de votre propre créativité. En effet, le simple fait de partager vos rêves et vos aspirations avec une autre personne vous force à mettre de l'ordre dans vos pensées, à les structurer et à les remettre en question. Au bout du compte, avant même que l'autre ait réagi, votre projet se retrouve bonifié.

Troisièmement, en vous entêtant à vous lancer seul, vous vous privez d'un accès privilégié aux réseaux de ceux qui pourraient vous aider. Un réseau de contacts efficace permet d'ouvrir des portes et de vous mettre en relation avec des personnes qui seraient autrement inaccessibles. Pourquoi vous en priver?

Les douze activités que vous retrouverez dans ce chapitre vous permettront de développer, d'activer et de mobiliser votre réseau. Sortez donc vos dés et lancez-les!

2.1   Sortez!

Prenez un des projets qui vous tient à cœur et demandez-vous où vous pourriez trouver des personnes susceptibles de vous aider à le réaliser. Informez-vous et mettez dès aujourd'hui à votre agenda le moment où vous pourrez entrer en contact avec ces gens. Réservez votre place.

Vous l'ignorez peut-être, mais vous baignez dans la chance. Il y a autour de vous une foule de personnes susceptibles de vous aider. Encore faut-il qu'elles aient la chance de vous rencontrer et de connaître vos projets. Vous ferez un premier pas vers cette possibilité dès aujourd'hui.

Prenez un des projets qui vous tient à cœur, quel qu'il soit. Pour le réaliser, vous aurez besoin d'information. Vous aurez besoin d'un réseau. Vous aurez besoin de conseils. Où pourriez-vous trouver les gens qui vous aideront dans tout ça?

Dans certains cas, la réponse est évidente. Si vous souhaitez rencontrer des gens susceptibles de vous aider à vaincre une dépendance, des groupes tels que les Alcooliques Anonymes vous seront d'une aide immense. Si vous souhaitez vous lancer à votre compte, une association de travailleurs autonomes pourrait vous intéresser. Si vous cherchez l'amour, demandez-vous où se tiennent les personnes qui partagent les mêmes goûts que vous. Si vous cherchez un emploi, une association professionnelle ou une foire d'emplois pourrait faire pencher la balance de votre côté. Si vous n'en avez aucune idée, demandez aux gens autour de vous.

Si vous êtes inscrit sur *www.jemeriteplus.com,* n'oubliez pas de miser sur le groupe en partageant vos besoins dans la section Facebook. Un autre utilisateur a peut-être déjà en main l'information qui vous manque pour faire de votre projet un véritable succès.

Maintenant, contactez ces personnes ou ces associations et demandez quand aura lieu la prochaine rencontre. Renseignez-vous sur ce que vous devez faire pour y participer (membership, achat d'un billet, etc.) et faites-le! Notez l'évènement à votre agenda. Voilà, votre activité du jour est terminée mais vous pouvez, si vous avez un peu de temps, commencer à vous préparer. Que ferez-vous lors de la rencontre? Comment vous présenterez-vous? Comment présenterez-vous vos besoins?

Naturellement, cette activité ne vous servira à rien si, le jour de la rencontre, vous ne vous y présentez pas. Vous devrez donc rester sur vos gardes à mesure que la date approchera. Évitez de prendre des engagements qui vous coinceraient trop et pourraient vous donner une excuse facile si vous décidez à la dernière minute de ne pas participer. Ne laissez pas votre voix intérieure vous dire que vous avez choisi le mauvais évènement et qu'un autre ayant lieu bien plus tard fera mieux l'affaire. Quoi qu'il arrive, chaque nouvelle rencontre représente une occasion d'améliorer la manière dont vous vous présentez et la façon dont vous arrivez à expliquer vos besoins. Inscrivez-vous à cet évènement ultérieur s'il vous semble intéressant, mais, d'ici là, participez à celui auquel vous venez de vous inscrire.

Vous vous sentirez drôle ce soir. Après tout, vous êtes en train d'aligner les astres afin de gagner votre pari. Votre objectif devient déjà un peu plus réalité.

2.2 Trouvez un mentor

Aujourd'hui, trouvez une personne qui a déjà relevé le défi principal que vous vous êtes donné. Entrez en contact avec elle et demandez-lui quels conseils elle a pour vous.

En tant que conférencier, j'ai un grand avantage. Quatre fois par année, je rencontre un groupe de six autres professionnels de haut niveau et, pendant toute une soirée, nous parlons du marché, nous échangeons des trucs et nous partageons nos questionnements. Ces rencontres me permettent d'améliorer la rentabilité de mon entreprise et de devenir un meilleur conférencier. Il y a toujours des choses à apprendre au contact de personnes qui ont déjà fait face aux défis auxquels nous sommes nous-mêmes confrontés.

Vous pouvez avoir accès aux mêmes avantages. Jetez un coup d'œil dans votre réseau. Renseignez-vous dans votre entourage. Pensez aux gens que vous admirez. Y a-t-il quelqu'un qui, dans le passé, a surmonté les obstacles auxquels vous êtes confronté aujourd'hui, quelqu'un qui pourrait vous conseiller aujourd'hui? Quelqu'un qui pourrait, lors d'une discussion, vous éviter de faire les erreurs qu'il a lui-même faites dans le passé?

Identifiez l'une de ces personnes et entrez en contact avec elle aujourd'hui. Présentez-vous, dites que vous avez un projet et que vous pensez qu'elle pourrait vous éviter bien des erreurs si elle partageait son histoire avec vous. Demandez-lui si elle accepterait de vous rencontrer, le temps d'un lunch ou d'un café, pour que vous lui posiez quelques questions.

Elles ne voudront pas toutes, mais vous serez surpris du nombre de personnes qui sont disposées à redonner à la communauté une partie de ce qu'elles ont reçu. Prenez rendez-vous et, ensuite, préparez-vous. Quelles seront vos questions? Comment allez-vous présenter votre projet? Quels sont les obstacles devant lesquels vous hésitez actuellement? Cette personne vous consacre un peu de son temps. Faites-en bon usage et ne lui donnez pas l'impression que vous n'en valliez pas la peine.

La journée de la rencontre, présentez-vous à l'heure. Remerciez. Demandez à ce nouveau mentor de raconter son histoire. Posez des questions à mesure qu'il se dévoile. Écoutez. Par la suite, posez vos questions et, finalement, demandez LE conseil qui, selon votre mentor, pourrait faire une différence dans votre projet.

Il m'est arrivé de jouer ce rôle auprès de nouveaux conférenciers ou de nouveaux auteurs, et c'est toujours intéressant. Je connais une amie qui a finalement renoncé à un projet parce qu'un mentor lui en a présenté les failles et elle a dû se rendre à l'évidence. J'en connais d'autres qui ont atteint le succès plus rapidement et plus facilement parce qu'ils avaient eu l'humilité nécessaire pour demander conseil.

Ce n'est pas honteux de crier à l'aide. C'est un geste qui démontre votre sens des responsabilités et votre désir de réussir. Ne vous privez pas de ce que les autres peuvent vous offrir et rappelez-vous qu'un jour, ce sera à votre tour de conseiller une personne désireuse de se réaliser pleinement.

2.3 Pratiquez !

Jetez un coup d'œil à l'un de vos projets. Identifiez une rencontre que vous aurez prochainement avec une personne que vous devez convaincre. Trouvez un ami et pratiquez la rencontre afin de trouver les meilleurs arguments et la meilleure manière de faire valoir vos points de vue.

Le dicton voulant que vous n'aurez jamais une deuxième occasion de faire une première bonne impression n'est pas sans valeur. Il est rare que les gens vous donnent une deuxième chance de les convaincre si vous les avez déçus la première fois. Et si votre projet exige une rencontre au cours de laquelle vous devrez convaincre, autant vous pratiquer à l'avance.

Aujourd'hui, identifiez l'une de ces rencontres dans un de vos projets et trouvez une personne qui acceptera de jouer les avocats du diable et vous aidera à pratiquer votre argumentation. Pour ce faire, commencez par mettre votre vis-à-vis en contexte. Expliquez-lui les enjeux et dites-lui ce que vous tenterez de faire lors de cette rencontre. Ensuite, lancez la simulation.

Faites comme si c'était vrai. Ne prenez pas cette activité à la légère. Si vous vous investissez réellement, vous avez de bonnes chances d'y gagner sur plusieurs points. Premièrement, vous serez forcé de structurer votre pensée et de bien présenter vos arguments. Avouez qu'à ce sujet, une pratique ne sera pas de trop.

Deuxièmement, vous serez capable de détecter les faiblesses de vos arguments et vos contradictions. Il n'y a rien comme une générale pour découvrir ce qui doit être amélioré et ce qui doit être éliminé si vous souhaitez faire valoir votre point de vue.

Finalement, vous apprendrez à mieux maîtriser votre argumentaire et à mieux faire valoir votre point de vue. Vous en sortirez plus convaincant. Les plus grands comédiens font des générales. Pourquoi pas vous ?

Il est possible que demander l'aide d'une autre personne vous gêne, que vous vous disiez que c'est la preuve de votre faiblesse. Il n'en est rien ! C'est tout le contraire, en fait. C'est une véritable force que la capacité de se mettre à nu, de partager ses projets et de demander l'aide d'une autre personne pour maximiser ses chances de réussite. Loin de vous diminuer, cette activité vous met en valeur et vous rend encore plus méritant de connaître le succès.

Quand la simulation sera terminée, demandez à votre ami de vous donner ses commentaires et écoutez bien. Écoutez tout, en fait. Pas seulement ce qui vous est doux à l'oreille mais également ce qui l'a fait tiquer. Ne vous dites pas automatiquement qu'il a sûrement tort. En supposant qu'il ait raison, que devriez-vous changez dans votre présentation pour être certain de convaincre ?

Le succès ne repose pas uniquement sur la force et sa démonstration. Il requiert également de l'humilité. En acceptant de présenter vos arguments à un tiers, vous vous donnez l'occasion de les améliorer avant le vrai test. Ne recherchez pas un vis-à-vis qui vous félicitera automatiquement. Trouvez quelqu'un qui vous questionnera, qui vous poussera dans vos retranchements et qui vous permettra de vous améliorer.

2.4   L'avocat du diable

AVERTISSEMENT

Si vous n'avez pas encore défini de projets à réaliser, relancez les dés.

Aujourd'hui, vous présenterez un de vos projets à une personne en qui vous avez confiance. Après vous avoir écouté, celle-ci devra remettre en question votre échéancier, identifier les faiblesses de votre projet et vous aider à l'améliorer.

Deux têtes valent mieux qu'une. Souvent, les projets que nous lançons seuls présentent des faiblesses qui seront évidentes pour les autres. Cependant, nous ne les voyons pas. C'est normal : c'est la première fois que nous passons par là et nous ne sommes pas conscients des écueils évitables dont les autres connaissent l'existence. Il est souvent trop tard quand nous réalisons que nous aurions dû valider notre échéancier avant de nous lancer dans l'aventure.

Mais cela ne vous arrivera pas. Aujourd'hui, vous allez confier votre projet à une personne en qui vous avez confiance. Celle-ci devra écouter toute votre présentation puis, une fois celle-ci terminée, elle jouera l'avocat du diable en remettant votre projet en question. Parmi les questions qu'elle pourrait poser figurent :

❑ Qu'est-ce qui te dit que xxx voudra faire affaire avec toi?

❑ Est-ce que ton échéancier est réaliste? Ne devrais-tu pas t'accorder plus de temps pour l'étape…?

❑ Et si xxx ne veut pas t'aider? As-tu une solution de rechange? As-tu songé à yyy?

Cette activité a pour but de solidifier votre projet et d'éviter les obstacles que votre enthousiasme vous empêche peut-être de voir actuellement. Bien entendu, vous devrez éviter certaines réactions fréquentes pendant la rencontre.

Premièrement, **écoutez sans vous mettre sur la défensive**. Il peut être tentant de vous refermer dès que vos hypothèses sont remises en question. Vous pouvez vous dire que vous avez choisi le mauvais interlocuteur, qu'il ne comprend rien et que vous perdez visiblement votre temps puisqu'il n'est pas en admiration devant tout ce que vous venez de lui déballer. C'est faire fausse route. Explorez les avenues que vous ouvre votre interlocuteur. Tenez pour acquis que son point de vue peut vous aider à multiplier vos chances de succès. L'humilité est souvent meilleure conseillère que l'orgueil aveugle.

Deuxièmement, **acceptez le fait que votre échéancier n'est pas définitif**. Il n'est pas faux parce que vous réalisez que vous devez le modifier chemin faisant. C'est un ouvrage en devenir. Il est normal de le raffiner, de l'enrichir et de biffer certaines étapes si elles s'avèrent inutiles. Votre échéancier ne doit pas être un évangile que vous suivez aveuglément. Il ne doit pas vous couper de la réalité.

Finalement, **remerciez pour l'écoute et la rétroaction**. Cette personne avait sûrement d'autres choses à faire que d'être mise au courant de votre projet. Vous êtes privilégié d'avoir pu compter sur elle. À la suite de la rencontre, retravaillez votre échéancier. Allez chercher l'information qui, visiblement, vous manque à ce jour. Introduisez les nouvelles étapes qui se sont imposées pendant la rencontre. Biffez celles qui, vraisemblablement, ne sont pas nécessaires. Voilà. Votre projet est encore plus réaliste et vos chances de succès viennent à nouveau de monter d'un cran. Bravo!

2.5 La chasse aux Air Lousses

AVERTISSEMENT

Le fait de devoir faire ce qui suit ne vous libère pas des obligations que vous avez prises envers vous-même pour la journée. N'oubliez pas de faire avancer un de vos projets aujourd'hui.

Aujourd'hui, rendez service. Sans rien attendre en échange, pour le seul plaisir d'être utile. Soyez à l'affût des occasions qui se présentent. Offrez votre aide. Imposez-la s'il le faut. Soyez gentil. Et même si vous en avez déjà l'habitude, redoublez d'ardeur, et ce, toute la journée.

Les Air Lousses sont aux relations interpersonnelles ce que les Air Miles sont aux relations commerciales. Chaque service que vous rendez vous fait gagner des points et font grimper la tension de réciprocité des gens que vous aidez. Mais plus encore, il a été démontré que le fait de rendre service sans rien attendre en retour vous rend plus chanceux dans la vie.

Pourquoi? Pour trois raisons principales. Premièrement, les gens à qui vous rendez service auront envie, tôt ou tard, de vous retourner l'ascenseur. C'est un phénomène humain. Et le plus agréable, c'est que ce ne sont pas nécessairement ceux à qui vous rendez service qui vous aideront à leur tour. Le simple fait que vous soyez considéré altruiste donnent aux gens l'envie de vous aider, même s'ils n'ont pas eux-mêmes profité de vos gentillesses.

Deuxièmement, la nature récompense l'altruisme. Des études ont démontré que votre système immunitaire est renforcé quand vous rendez service. Avouez que vous le sentez : après avoir rendu service, vous bombez le torse, vous vous tenez plus droit et vous souriez plus facilement. Vous êtes énergisé.

Troisièmement, le fait de rendre service a un impact direct sur votre sentiment de valeur personnelle. En étant serviable, vous vous prouvez à vous-même que vous valez quelque chose. Et cette hausse du sentiment de votre valeur personnelle renforce votre confiance que vous méritez d'aller de l'avant, de réaliser vos objectifs et de vivre une vie agréable.

Faites-vous donc un cadeau aujourd'hui. C'est facile : il suffit de faire du bien aux autres et de pratiquer la courtoisie. Laissez votre place dans le métro. Ouvrez la porte à une personne chargée de paquets. Offrez de rapporter un café à un collègue. Dites à une collègue que sa nouvelle coiffure lui va à merveille. Les occasions de rendre service et d'être courtois sont tellement nombreuses. Saisissez-les !

Et, tout au long de la journée, soyez conscient de ce qui vous arrive intérieurement. Réalisez quel impact ces gestes ont sur votre plaisir, votre sentiment de fierté ou votre estime personnelle. Vous ne vous rabaissez pas en rendant service. Bien au contraire : vous vous élevez.

Et qui sait ? Vous pourriez finir la journée accro et recommencer demain, même si les dés ne vous donnent pas 2 et 5. L'ouverture aux autres peut rapidement devenir une philosophie de vie qui ne vous éloignera pas de vos projets, mais qui vous permettra de les réaliser plus rapidement parce que ceux qui vous entourent auront envie d'y contribuer. Ils auront à cœur de vous voir vous réaliser parce que, justement, ils auront l'impression de valoir plus à votre contact.

2.6 Trouvez des gens *anormaux* (pour l'instant)

Aujourd'hui, trouvez des gens qui ont réalisé ce que vous tentez de faire présentement et entrez en contact avec eux. Sortez de votre «norme» actuelle et réalisez que vos projets ne font pas de vous une bête de cirque.

Il est possible que, lorsque vous rationalisez, vous vous disiez que vous n'êtes quand même pas si pire dans votre état actuel et que c'est peut-être irréaliste de vouloir changer votre vie. Après tout, vous n'êtes pas moins bon que les gens qui vous entourent. Même que, sur certains points, vous vous trouvez meilleur qu'eux.

Si vous vous comparez aux gens qui vous entourent présentement, vous risquez de rester enlisé où vous êtes. Parce que ces gens, même si vous les considérez normaux, ne le sont pas nécessairement. Par exemple, si vous pesez 200 livres (90 kg) et que vous vous tenez avec des gens qui en pèsent 250 (115 kg), vous vous trouvez probablement maigre et vous vous demandez pourquoi vous devriez vous mettre à l'exercice. Dans ce cas, je vous suggérerais de vous tenir davantage avec des gens qui pèsent 180 (80 kg). Vous redéfiniriez ainsi ce qui est «normal» à vos yeux.

Vous risquez de la même manière de finir par croire que votre projet de travail autonome est vain si vous ne rencontrez que des salariés. Vous devriez intégrer, dans votre réseau d'amis, des gens qui travaillent à leur compte.

Bref, intégrez à votre cercle social des gens qui représentent l'exemple de ce à quoi vous aspirez. Si vous souhaitez vous faire une place au travail, apprenez à côtoyer ceux qui progressent plutôt que ceux qui stagnent et qui passent leurs journées à se plaindre de la direction. Si vous êtes vendeur et que vous aspirez à améliorer vos ventes, il vaudrait mieux échanger de temps à autre avec le vendeur numéro un du bureau au lieu de vous tenir avec les traîne-savates. Ceux-là vous diront que votre performance actuelle est déjà très bien. Et si vous les croyez, votre projet s'effondrera.

Les êtres humains tendent à se décourager face à un objectif en apparence irréaliste. Mais si vous changez les gens qui vous entourent, ce qu'on vous présente comme étant impossible peut devenir tout à fait réalisable. Je ne vous dis pas de tirer un trait sur les gens qui vous entourent. Je vous demande seulement de développer des relations avec des gens qui ont déjà réussi ce qui vous anime. Des gens grâce auxquels vos projets actuels deviendront plus réalistes.

Il y a quelques années, je me croyais personnellement au faîte de ma profession. Puis, j'ai été invité à me joindre à un groupe de conférenciers professionnels qui ont à cœur de devenir meilleurs et de faire avancer la profession. Cela m'a permis de trouver des voies d'amélioration et de croissance. Tenez-vous avec des gens qui sont allés plus loin et vous aurez envie d'atteindre un autre niveau, vous-aussi.

2.7   Apprenez à demander de l'aide

Avertissement

Le fait de devoir faire ce qui suit ne vous libère pas des obligations que vous avez prises envers vous-même pour la journée. N'oubliez pas de faire avancer un de vos projets aujourd'hui.

Aujourd'hui, identifiez une étape de l'un de vos projets qui vous pose plus de problèmes. Identifiez une personne susceptible de vous aider et demandez-le-lui.

Eh oui, je vous demande aujourd'hui de solliciter l'aide d'autrui. Je sais que ce ne sera pas facile parce que vous devrez, pour ce faire, vous débarrasser de deux mythes tenaces.

Le premier, c'est le mythe de l'entrepreneur qui s'est fait tout seul. Nous en avons traité au début de ce chapitre et je vous invite à en lire l'introduction si vous l'avez sautée (les dés ne vous mènent jamais aux introductions).

Le second, c'est le mythe laissant croire que c'est humiliant de demander un service à quelqu'un. Au contraire! Cela vous rend plus sympathique. En fait, quand vous demandez un service, vous valorisez le savoir et les connaissances de la personne vers qui vous vous tournez. Ce faisant, elle vous appréciera davantage. Il est contreproductif de penser que les gens sont agacés quand on se tourne vers eux. Au contraire, ils sont flattés.

Il existe cependant des règles quand vient le temps de demander de l'aide. Naturellement, la politesse est de rigueur. Les mots *merci* et *s'il-te-plaît* ont leur importance. Vous y gagnez également en prononçant le nom de la personne à qui vous vous adressez.

Il importe également de mettre votre demande en contexte. Pourquoi désirez-vous par exemple que cette personne vous mette en contact avec Y? Il est bien plus facile d'acquiescer à une demande quand on en connaît le pourquoi. Personne n'aime naviguer dans le noir en se contentant de répondre bêtement à des demandes sans savoir dans quel projet ils s'inscrivent.

Finalement, n'oubliez pas la réciprocité. Cette personne qui vous rend service le fait peut-être de manière tout à fait altruiste, mais vous devriez prévoir un retour d'ascenseur dès que ce sera possible. Il existe, dans le royaume des humains, une règle qui dit qu'il faut donner pour recevoir. Celui qui ne fait que quémander sans jamais contribuer risque rapidement de se retrouver sans réseau. Gardez donc en mémoire les noms des gens qui vous aident et restez disponible pour eux. N'hésitez pas à leur mentionner, en leur disant merci, qu'ils ne doivent pas hésiter si vous pouvez leur rendre service à votre tour. Et lorsqu'ils frapperont à votre porte, accueillez-les avec le sourire.

Vous serez surpris du nombre de personnes qui répondent spontanément oui quand on les appelle à l'aide. Il est fort possible que, d'entrée de jeu, vous ayez l'impression de déranger ou de vous imposer. Mais si vous choisissez bien les gens vers qui vous vous tournez, ils sauront reconnaître que vous avez identifié ce qui les distingue. Ainsi, ils seront flattés que vous soyez capable de reconnaître leurs forces, leurs compétences particulières et la qualité de leur réseau. Ne vous en privez donc pas; faites le test aujourd'hui même!

2.8 Partagez vos craintes

AVERTISSEMENT

Le fait de devoir faire ce qui suit ne vous libère pas des obligations que vous avez prises envers vous-même pour la journée. N'oubliez pas de faire avancer un de vos projets aujourd'hui.

Y a-t-il quelque chose que vous appréhendez quand vous regardez l'échéancier d'un de vos projets? Aujourd'hui, partagez vos craintes avec quelqu'un qui pourra vous dire si elles sont fondées ou pas.

François voulait se lancer en affaires. Tout son échéancier était établi mais il continuait à porter en lui une angoisse qui l'empêchait d'aller de l'avant : s'il fallait que la marge de crédit anticipée ne soit pas acceptée, son château de cartes s'écroulerait. Bien entendu, il aurait pu en faire la demande dès maintenant, mais il craignait aussi que cela crée une tache à son dossier de crédit. Bref, il était immobilisé.

Jusqu'à ce qu'il décide de rencontrer Julie, une amie qui gagnait sa vie comme conseillère financière. Celle-ci a monté son budget et a évalué ses flux financiers pour lui expliquer comment il devait aborder sa banque pour maximiser ses chances de succès. François a suivi les conseils de Julie et il travaille maintenant à son compte.

La peur est une émotion terrible. Elle vous immobilise. Elle vous pousse à adopter une position d'inertie, vous disant que le statu quo n'est pas si pire, après tout. La peur vous amène à attendre moins de la vie que ce à quoi vous devriez aspirer. Heureusement, il existe de nombreux traitements à cet inhibiteur de rêves.

Le plus important, c'est votre capacité à identifier, dans votre réseau, les gens les plus susceptibles d'évaluer vos craintes et de vous dire si celles-ci sont fondées ou pas. Ces personnes seront en mesure d'apaiser vos peurs de manière crédible ou, si celles-ci sont fondées, elles pourront vous aider à formuler des stratégies afin de réduire les risques et l'incertitude. Trouvez l'une de ces personnes aujourd'hui et prenez rendez-vous afin de lui présenter votre principale appréhension et d'écouter comment elle y réagira.

Pendant la rencontre, faites preuve d'ouverture. Ne retenez pas l'information de peur de vous faire voler vos idées. De toute manière, si vous retenez l'information, le réconfort de votre vis-à-vis aura peu d'effet, parce que vous vous direz qu'il aurait peut-être répondu différemment si vous lui aviez exposé clairement la situation.

Ensuite, quand vous saurez ce qu'il en est, allez de l'avant ou raffinez votre plan afin de tenir compte des informations supplémentaires que vous venez de glaner. Réduisez les risques confirmés et profitez des occasions offertes. Ressentez vous aussi cette légitime fierté ressentie par ceux qui acceptent de s'ouvrir et de surmonter leur appréhension du moment.

Vous avez partagé vos craintes. Vous avez réagi. Ce qui était immobilisme et retenue s'est mué en envie d'aller plus loin et plus rapidement. C'est ce qui arrive quand les barrières de la peur sont finalement levées. Bravo! Vous êtes maintenant prêt, avec objectivité, à faire face aux réels défis auxquels vous êtes confronté. Vous n'avez plus à entretenir des craintes injustifiées.

2.9   Trouvez un ou plusieurs partenaires

<small>AVERTISSEMENT</small>

Le fait de devoir faire ce qui suit ne vous libère pas des obligations que vous avez prises envers vous-même pour la journée. N'oubliez pas de faire avancer un de vos projets aujourd'hui.

Aujourd'hui, revoyez la liste de vos projets et demandez-vous si l'un d'entre eux aurait de plus grandes chances de réussite en vous associant avec une ou plusieurs personnes pour le réaliser. Dans l'affirmative, contactez la ou les personnes et prenez rendez-vous. Vous avez des choses à proposer.

L'union fait la force. Il y a des projets plus faciles à réaliser en équipe que seul. Il existe des projets dont le succès requiert un amalgame de connaissances, de talents et de vision. Dans ces cas, le succès réside bien plus souvent en groupe qu'en solitaire, et il est souvent illusoire de penser en venir à bout seul.

L'un de vos projets serait-il plus facilement réalisable si vous pouviez jumeler vos talents à ceux d'autres personnes? Dans l'affirmative, prenez la journée pour identifier de qui vous avez besoin pour réaliser cet objectif. Ce peut être un collègue, une personne que vous rencontrez régulièrement ou un inconnu dont vous entendez parler régulièrement. Ce qui importe ici, c'est de trouver la ou les bonnes personnes. Il ne sert à rien de lancer un projet conjointement avec les mauvais partenaires.

Si vous pouvez identifier cette personne, contactez-la et demandez-lui une rencontre. En vous préparant pour celle-ci, documentez votre projet, comment vous l'entrevoyez et ce que votre vis-à-vis pourrait y gagner s'il s'y associe. Ne négligez jamais d'indiquer à un partenaire potentiel ce qu'il y gagnera s'il se lance avec vous. Vous pouvez avoir l'impression que c'est évident. C'est loin de l'être pour tout le monde.

Si cette personne se montre intéressée lors de votre rencontre, débutez ensemble l'échéancier de ce projet commun. Partagez les responsabilités. Vous avez tous deux intérêt à ce que vous vous lanciez le plus rapidement possible. Si vous prenez trop votre temps, chacun retournera dans son coin et rien ne se réalisera. Évitez l'entropie.

L'avantage de travailler en équipe ? Si votre partenaire (ou vos partenaires) est bien choisi, vous atteindrez le succès plus rapidement. Vous ferez moins d'erreurs. Vous gaspillerez moins de ressources et vous apprendrez à un niveau tel que vous serez en mesure de lancer d'autres projets avec d'autres personnes, et avec encore plus de succès par la suite. Pourquoi vous priver de la force du groupe ?

Remarquez bien que le travail d'équipe n'est pas une panacée. Un mauvais projet entrepris à plusieurs donnera toujours de mauvais résultats. Le nombre ne peut jamais compenser une piètre qualité. D'autant que le travail d'équipe exige des efforts supplémentaires. Assurez-vous de ne vous lancer dans de tels projets que si les enjeux vous tiennent vraiment à cœur.

Dans ce cas, lancez-vous et dépensez-vous. Réussir en équipe est encore plus enivrant. Surtout que l'adrénaline nécessaire aux derniers efforts crée un sentiment d'affiliation susceptible de créer de véritables amitiés, des liens solides qui dureront par la suite.

2.10 Qui se ressemble s'assemble

AVERTISSEMENT

Si vous avez déjà fait cette activité, refaites-la quand même aujourd'hui. On ne sait jamais quelles autres organisations existent. Explorez et découvrez. Ne vous contentez pas du premier choix que vous trouverez.

Trouvez aujourd'hui un groupe de personnes qui partagent les mêmes objectifs ou les mêmes passions que vous. Renseignez-vous sur les moyens de vous joindre à leur groupe. Voyez ce qu'elles peuvent vous offrir, et devenez membre.

Je suis conférencier professionnel et l'un de mes sujets d'expertise concerne le positivisme au travail. Pour demeurer concurrentiel, je dois constamment améliorer la qualité de mes performances sur scène et je dois rester au fait de tout ce qui touche le domaine de la psychologie positive.

Pour y arriver, je suis devenu membre de CAPS (Canadian Association of Professional Speakers) et de l'IPPA (International Positive Psychology Association). Grâce à ces associations, je suis régulièrement en contact avec des personnes qui partagent mes intérêts et mes aspirations. Certaines idées de livres me sont venues en échangeant lors de congrès avec des personnes aussi emballées que moi par les notions de bonheur et de performance au travail.

Il existe quelque part une association, un franchiseur, un syndicat, un groupe de discussion ou un regroupement de personnes qui partagent vos intérêts et vos aspirations. Aujourd'hui, trouvez-les. Pour ce faire, vous procéderez en quelques étapes.

Premièrement, appelez votre parrain, votre mentor ou une personne que vous respectez et qui est susceptible de bien vous aiguiller. Si vous n'avez personne à consulter, tournez-vous vers Google. Votre objectif est de trouver une communauté de personnes partageant les mêmes intérêts que vous. Ne vous limitez pas au Québec ou au Canada. C'est peut-être à l'étranger que vous trouverez les gens dont vous avez besoin.

Deuxièmement, renseignez-vous sur le regroupement. La plupart ont des sites Web. Déterminez si vous y trouveriez votre compte en devenant membre ou en vous impliquant. Renseignez-vous sur les critères d'admissibilité, les coûts, etc.

Troisièmement, devenez membre. Dans certains cas, vous devrez passer un examen, soumettre un dossier de candidature ou être parrainé par un membre déjà inscrit.

Finalement, impliquez-vous. Il y a trop de gens qui sont membres d'une association et qui n'en bénéficient pas. Leur implication se limite au paiement de leur cotisation annuelle. C'est un véritable gaspillage. Ils passent à côté de tellement d'opportunités! De l'information (publications, bulletin mensuel, documents accessibles sur Intranet, etc.), de la formation (vidéos, colloques, congrès, etc.), des occasions de partage (groupes de discussion, colloques, soupers-conférences, etc.) et la possibilité de vous impliquer personnellement (projets, réseautage, etc.).

Trouvez aujourd'hui le groupe qui vous évitera de commettre des erreurs de débutant, qui vous équipera pour le succès et auprès duquel vous pourrez rapidement devenir meilleur. Il est là, quelque part. Et ses membres vous attendent. Non pas uniquement pour contribuer à votre succès, mais également pour tout ce que vous pourrez, avec le temps, leur apporter.

2.11 Parle plus bas, car on pourrait bien nous entendre...

AVERTISSEMENT

Vous pouvez relancer les dés si vous avez déjà un ou deux parrains.

Partez en quête d'un parrain qui s'intéressera à votre projet et vous contactera sur une base régulière afin de s'enquérir de vos résultats.

Parle plus bas, car on pourrait bien nous entendre... Ce sont les premiers mots de la chanson thème du film *Le Parrain*. Mais rassurez-vous : ce n'est pas de ce genre de parrain dont il est question dans l'activité d'aujourd'hui.

Les recherches ont démontré qu'il est bien plus facile de tenir ses résolutions quand il faut rendre des comptes sur une base régulière. La personne qui décide de perdre du poids tiendra davantage ses engagements si un parrain l'appelle chaque semaine pour s'enquérir de ses résultats et lui demander si elle a fait ses exercices et si elle reste fidèle à sa diète. Dans le même ordre d'idées, les Alcooliques Anonymes ont depuis longtemps compris qu'il faut assigner un parrain aux nouveaux membres.

C'est ce que vous tenterez de faire aujourd'hui. Y a-t-il dans votre environnement quelqu'un qui pourrait accepter ce rôle ? Vous avez à ce jour parlé de vos objectifs à quelques personnes. Lesquelles se sont senties interpellées ? Lesquelles vous ont encouragé ? Pourriez-vous avoir une discussion avec ces personnes et leur demander si le rôle de parrain les intéresse ? Ce rôle sera simple :

❑ S'enquérir régulièrement de l'avancement de votre projet ;

❑ Vous féliciter quand vous respectez vos échéances ;

❑ Vous encourager quand vous songez à tout lâcher ;

❑ Vous proposer des suggestions quand vous n'avez pas été tout à fait à la hauteur.

Les rencontres peuvent se faire en personne, par téléphone ou par courriel. Elles devraient idéalement avoir lieu toutes les semaines. De cette manière, la routine ne risque pas de reprendre ses droits et de vous faire perdre de vue que vous avez une partie à gagner. De plus, parce que vous êtes fier, vous n'aurez pas envie de décevoir votre parrain, ce qui augmentera votre motivation à faire avancer vos projets.

Idéalement, votre parrain devrait aussi avoir des projets en cours. De cette manière, vous pourrez également jouer ce rôle auprès de lui. Offrez-lui une copie de ce livre en disant que vous avez pensez à lui… pour l'activité 2.11.

La paresse et l'acédie peuvent passer sous le radar quand nous sommes seuls dans notre coin. Mais dès que nous savons qu'une personne intéressée a à cœur de nous aider à aller de l'avant, cela devient rapidement gênant d'avouer que nous avons négligé d'investir les efforts nécessaires à l'avancement d'un projet que nous avons partagé et que nous avons qualifié d'important. De plus, si vous avez la chance de jouer les parrains auprès de cette personne, vous réaliserez que vous vous parlez également à vous-même quand vous l'encouragez ou que vous la semoncez. Vous y gagnez sur tous les points. Alors, qui sera cette personne? Si vous ne trouvez pas et que vous êtes inscrit sur *www.jemeriteplus.com,* allez y faire un tour. Vous croiserez peut-être quelqu'un également à la recherche d'un parrain.

2.12 Reprenez contact

Aujourd'hui, reprenez contact avec une personne que vous avez perdue de vue depuis au moins six mois. Prenez de ses nouvelles et partagez vos nouveaux projets avec elle. Prenez le temps de lui dire comment elle pourrait vous aider, mais n'insistez pas. Vous êtes simplement là pour reprendre contact.

Loin des yeux, loin du cœur. Il n'y a pas que dans les pièces de vaudeville que les amants esseulés se laissent attirer par le regard d'autres partenaires. Toutes les personnes que vous connaissez font de même. Si l'une d'entre elles croise une personne qui pourrait avoir recours à vos services, elle songera à vous si elle vous a croisé récemment. Mais si elle a croisé une autre personne capable de combler les mêmes besoins, elle pensera à l'autre. C'est normal. Les psychologues appellent ce phénomène *effet de récence.*

Or, les personnes que vous avez perdues de vue possèdent également des réseaux. Elles connaissent peut-être des clients que vous auriez intérêt à rencontrer, des partenaires qui pourraient contribuer à votre succès ou une personne célibataire qui pourrait mettre un terme à votre quête amoureuse. Ces réseaux pourraient être à votre disposition... si vous gardiez le contact.

Voici donc ce qui vous est demandé aujourd'hui : contactez une personne que vous avez perdue de vue depuis un certain temps. Appelez-la ou, mieux encore, offrez-lui d'aller prendre un café. Prenez des nouvelles d'elle. Racontez-lui ce qui se passe dans votre vie. Faites-lui part de vos besoins et suggérez-lui sans insister de penser à vous si elle croise ce client potentiel, ce partenaire d'affaires ou cette personne célibataire.

Ne le faites pas par calcul utilitariste. Ne contactez pas telle ou telle personne parce que vous sentez qu'elle pourrait vous être utile. L'autre le sentira et expliquera votre silence par le fait que vous n'aviez pas besoin d'elle jusqu'à maintenant. Ce n'est pas le sentiment que vous souhaitez communiquer.

Choisissez plutôt les personnes que vous contacterez en fonction de l'appréciation que vous avez à leur égard. Renouez le contact pour le seul plaisir de le faire. Vous ignorez l'étendue de leur réseau. Vous ignorez en quoi elles peuvent vous être utiles. Contentez-vous de rétablir le contact et laissez la magie s'opérer.

Cette personne ne pourra peut-être pas vous aider aujourd'hui, mais qui vous dit qu'elle ne rencontrera pas demain LA personne dont vous avez besoin pour mener votre projet à terme ? La synchronicité existe. Faites part de vos besoins, partagez vos rêves et vos aspirations. Vous serez surpris des résultats.

Naturellement, cela implique la réciprocité. Demandez à l'autre personne quelles sont ses aspirations du moment. Demandez-lui quels sont ses besoins et assurez-vous de lui retourner l'ascenseur si vous le pouvez. Prenez même les devants en lui rendant service avant même qu'elle vous ait rendu service. Investissez dans les autres. Vous serez rarement déçu.

Alors, qui appellerez-vous aujourd'hui? Fouillez dans votre mémoire, dans vos dossiers ou dans votre répertoire téléphonique. Appelez cette personne et prenez de ses nouvelles.

Chapitre 3

UN PEU DE MÉNAGE
NE FAIT JAMAIS DE TORT

---

*Pourquoi sans cesse refuser de larguer les amarres
nous reliant au quai des ports visités
par le voilier de notre vie déjà reparti
et emporté par les grands vents du large?*

– DANIEL DESBIENS

*Moi j'essayais d'voler avec des ailes en bois.
Dire que j'me demandais pourquoi j'volais pas.*

– VILAIN PINGOUIN

Un voyage en bateau offre de plus grandes chances de succès quand on le débute en larguant les amarres. Sinon, ce lien permanent au quai nous empêche d'atteindre notre destination. L'aérostier doit quand à lui jeter du lest s'il souhaite que son aérostat prenne de l'altitude. Votre propre voyage ne fait pas exception. Si vous souhaitez monter plus haut ou vous rendre plus loin, il y a un certain ménage que vous devrez faire dans votre vie. Sinon, votre passé vous retiendra prisonnier et vos efforts seront tôt ou tard torpillés par ce que vous refusez de laisser derrière vous.

Selon le cas, vous devrez faire du ménage dans vos peurs, dans vos habitudes néfastes, dans votre environnement, dans vos relations. Tout cela ne se fera pas sans heurts, mais vous remarquerez que ce sera follement libérateur. D'ici la fin de ce livre, je ferai référence à ce ménage en parlant de l'importance pour vous de laisser aller vos bananes.

Pourquoi des bananes ? Pour répondre à cette question, je vous expliquerai comment on attrape certains singes en Afrique. Dans un lourd vase au goulot étroit, on place une banane. Tôt ou tard, un singe s'en approche et introduit sa main afin de s'emparer du fruit. Mais voilà : à cause du goulot, il lui est impossible de sortir la banane du vase. Mais il tient bon et refuse de lâcher sa prise. Il ne reste ensuite qu'à saisir le singe. À cause de son entêtement, celui-ci vient de perdre sa liberté. Cette banane, à laquelle il tenait tant même s'il ne la possédait pas vraiment, a signifié sa perte.

Nous sommes un peu comme ces singes. Nous nous accrochons à des choses et y perdons trop souvent notre liberté. C'est ainsi que certains s'accrocheront à des emplois qui les rendent malheureux, que d'autres s'accrocheront à une histoire d'amour depuis longtemps finie et que plusieurs n'arriveront pas à se libérer de dépendances (cigarettes, alcool, drogue) qui leur donnent l'impression d'aller mieux mais qui, dans les faits, les enferment encore davantage dans un monde illusoire.

Un beau jour, nous nous rendons compte que nous sommes restés accrochés trop longtemps à ces «bananes» et que, pendant ce temps, la vie a passé. Nous réalisons soudain toutes ces occasions que, pendant que nous étions bien concentrés sur ces bananes trompeuses, nous avons laissées passer. Les douze activités que vous trouverez dans ce chapitre vous permettront de larguer vos amarres. Sortez donc vos dés et lancez-les!

3.1   Sus aux envahisseurs!

Aujourd'hui, identifiez un envahisseur, c'est-à-dire une personne qui gruge votre temps et nuit à l'avancement de vos projets. Ensuite, faites en sorte de réduire son influence.

Marie souhaitait accéder à un poste plus élevé dans son organisation, mais elle avait remarqué que toutes les personnes à qui on offrait des promotions possédaient au moins un certificat en administration. Déterminée, elle s'était inscrite à une première session. Dès qu'elle aurait son papier, ses états de service aidant, elle pourrait améliorer son statut dans l'entreprise.

Le problème, c'est que tous les soirs, ses voisins passaient chez elle pour manger, jouer aux cartes, discuter ou socialiser. Marie aimait beaucoup leur présence, et ce, même les soirs où elle aurait dû travailler parce qu'elle avait un examen le lendemain ou parce qu'elle devait bosser sur un travail de session. Elle se disait qu'elle aurait bien le temps le lendemain, ou pendant le week-end. À la fin de la session, quand Marie a reçu son relevé de notes, elle avait deux échecs sur deux cours. Marie devrait-elle en vouloir à ses voisins? Pas du tout.

Les bonnes intentions ne suffisent pas quand nous avons des projets qui nous tiennent à cœur. Il faut se donner les moyens de les mener à terme et si cela implique de se réserver des plages horaires, cela suppose d'en libérer. Les voisins et amis de Marie ignorent peut-être tout de ses projets ou, du moins, elle ne leur a pas dit qu'elle avait besoin de périodes d'étude et de travail. Ce sont des envahisseurs, certes, mais ils l'envahissent parce qu'elle n'a pas été claire quant à ses besoins.

Vivez-vous une situation semblable ? Il est probable que oui. Selon les cas, ce sera un conjoint, des enfants, un patron, des collègues, un voisin, des amis, etc. Ces personnes ne sont pas méchantes. En fait, elles ignorent que vous avez besoin de temps pour faire avancer un projet, pour ne pas échouer un cours, pour accéder à une promotion.

Que faire avec ces personnes ? Vous n'avez pas à les rayer de votre vie. Vous devez simplement les mettre de votre côté en leur expliquant ce que vous tentez de réaliser, ce que cela implique et ce que vous leur demandez comme contribution.

Qu'est-ce que Marie aurait dû faire ? Elle aurait pu confronter gentiment ses amis ainsi : « Cette semaine, je vais avoir besoin de mes soirées de mardi, mercredi et jeudi. Je vous remercie à l'avance de m'aider dans mes études. »

Y a-t-il des envahisseurs dans votre environnement ? Avez-vous tendance à vous en plaindre et à leur faire porter le blâme de vos échecs ? Dans l'affirmative, procédez à une confrontation dès aujourd'hui. Établissez et communiquez vos frontières, ces périodes nécessaires à l'avancement de vos projets. Ne vous mettez pas dans la tête d'atténuer l'impact négatif de tous vos envahisseurs dès aujourd'hui. Une seule personne à la fois suffira. À chaque jour suffit sa peine. Les dés vous donneront d'autres occasions de recommencer plus tard.

Si vous n'avez aucun envahisseur à confronter, relancez les dés ou prenez une journée de congé. À vous de décider.

3.2 Transformez les complices en amis

AVERTISSEMENT

Le fait de devoir faire ce qui suit ne vous libère pas des obligations que vous avez prises envers vous-même pour la journée. N'oubliez pas de faire avancer un de vos projets aujourd'hui.

Faites la liste des gens que vous appréciez dans votre entourage et déterminez s'ils font partie du groupe de vos amis ou du groupe de vos complices. Ayez une rencontre avec un complice afin de le transformer en ami.

Quand arrive le temps de vous aider à atteindre vos objectifs, vos alliés peuvent prendre de nombreux visages. Parmi ceux-ci, on retrouve les masques du complice et celui de l'allié. Les deux prétendent vous vouloir du bien, mais leurs agissements vous poussent dans des territoires éloignés. Tentons, à l'aide de quelques exemples, de les démasquer.

Marielle souhaite perdre du poids. Elle a d'ailleurs annoncé à son amie qu'elle s'était inscrite au gymnase et qu'elle faisait dorénavant attention à son alimentation. Cela n'empêche pas son amie de continuer à lui offrir des sucreries et à l'inviter à des 5 à 7 après le travail. Chaque fois qu'elle accepte, Marielle anéantit ses efforts de la journée.

Lucie aimerait bien, cette année, obtenir la promotion qui lui a échappé l'an dernier. Son collègue et ami, qui aime bien ridiculiser leur patron commun et l'entreprise, a un impact direct sur son attitude. Hier encore, Lucie a décidé de se la couler douce après avoir pris son lunch en compagnie de ce collègue.

Jolène aimerait bien remettre de l'ordre dans ses finances personnelles, mais elle y arrive péniblement. Tous les samedis matin, en effet, une amie l'appelle et l'incite à venir faire les boutiques. Il y a des samedis soir où Jolène préférerait ne pas avoir eu de cartes de crédit.

Dans ces trois exemples, ces personnes semblent entourées d'amis alors qu'elles sont aux prises avec des complices. Les amis ont à cœur de nous aider à réaliser nos projets. Ils souhaitent nous voir réussir. Il ne leur viendrait pas à l'idée de nous empêcher d'améliorer notre situation. Les complices, eux, ne souhaitent pas vous voir améliorer votre situation. Ils vous aiment tel que vous êtes et ils n'ont aucune envie de vous voir vous distancer d'eux. L'amie de Marielle sait qu'elle devrait également perdre du poids, mais si Marielle en perd, elle se sentira plus grosse encore. Elle préfère que son amie conserve ses mauvaises habitudes alimentaires et elle fera tout pour que cela se produise. L'amie de Jolène gagne un salaire trois fois plus élevé. Cette dernière ne peut plus continuer à magasiner au même rythme que son amie.

S'il y a des complices dans votre vie, je vous demande aujourd'hui d'en identifier un et de tenter de le transformer en ami. Rencontrez-le et expliquez-lui votre situation. Dites-lui quels sont vos objectifs et en quoi il pourrait vous aider. Dites-lui que vous avez besoin de sa collaboration.

Il comprendra et, s'il s'agit d'un véritable ami, il développera des comportements qui vous aideront à concrétiser vos rêves. N'en voulez jamais à quelqu'un qui vous encourage dans vos anciennes habitudes si vous ne lui avez pas encore communiqué vos nouveaux projets.

3.3   Un nouveau projet à l'horizon?

AVERTISSEMENT

Même si vous avez déjà fait cette activité, refaites-la aujourd'hui. Il est possible que vous soyez prêt aujourd'hui à voir des choses que vous avez refusé d'accepter antérieurement.

Aujourd'hui, identifiez un comportement ou une mauvaise habitude que vous entretenez et qui vous empêche de mettre vos efforts là où ce serait important. Lancez ensuite un nouveau projet : vous débarrasser de ce boulet.

Luc souhaitait lancer son entreprise un jour, mais ses mauvaises habitudes d'acheteur compulsif le maintenaient dans une situation financière telle qu'il ne pourrait jamais quitter son emploi actuel. Le jour où il a choisi de se prendre en mains et d'améliorer son rapport à l'argent, il s'est rapidement donné les outils pour réaliser son grand rêve.

Maryse souhaitait écrire un premier roman. Elle avait même pris un congé sabbatique pour le rédiger. Mais dès le matin, avant même d'avoir écrit une phrase, elle ouvrait une bouteille de vin et entamait sa journée dans l'alcool. Au bout de deux mois, elle en était à trois pages. Maryse n'écrit plus.

Patrick espérait gravir les échelons dans l'entreprise où il travaillait. Il aspirait à une promotion. Le problème, c'est qu'au lieu de se faire valoir et de faire avancer ses dossiers, il passait une grande partie de la journée sur Internet à visionner des sites pornographiques. Quelques mois plus tard, il était mis à la porte. La pornographie aura eu raison de ses aspirations professionnelles.

Ces trois exemples ne sont pas aussi fictifs que vous pouvez le penser. Nous avons tous des petits travers qui nuisent à nos bonnes intentions et qui torpillent nos aspirations. Quels sont les vôtres? Je sais, cette activité ne vous plaira pas nécessairement. Nous préférons rester aveugles face à nos «petits travers». Mais quand il s'avère que ces petits travers bloquent toutes nos chances d'avancer dans la vie, il est peut-être temps de les confronter et de s'en débarrasser.

Quel est votre obstacle personnel? Qu'est-ce qui vous empêche d'agir et de faire ce qui devrait être fait, même quand vous savez quels gestes poser? Identifiez aujourd'hui un de ces comportements et donnez-vous les outils pour vous en débarrasser. Prenez une feuille (ou téléchargez une grille de projet dans *www.jemeriteplus.com*) et fixez-vous un objectif. Trouvez l'aide nécessaire et lancez-vous. Luc y est parvenu. Maryse et Patrick n'ont pas eu cette chance. Qu'en sera-t-il de vous?

Ce n'est pas facile de se regarder en face et de se dire ses quatre vérités. Ce n'est pas facile de réaliser que certains plaisirs à court terme nous coûtent tous nos projets à long terme. Mais si vous ne le faites pas, personne ne le fera pour vous et vous resterez embourbé dans votre situation actuelle.

Alors, allez-y! Prenez une feuille. Écrivez votre plus grand défi sur la première ligne (Je dois reprendre le contrôle de mon budget. Je dois réduire ma dépendance à l'alcool ou à la pornographie, etc.) et dressez la liste des étapes que vous devrez franchir pour vous libérer et pouvoir enfin vous concentrer sur les projets dont vous rêvez.

3.4   Larguez les amarres !

Y a-t-il encore des événements du passé auxquels vous restez accroché ? Dans l'affirmative, identifiez l'un d'eux aujourd'hui et travaillez à lâcher prise et à faire la paix avec celui-ci. Vous ne pourrez pas aller de l'avant si vous restez accroché à des événements négatifs de votre passé.

Que ressentez-vous quand vous songez à votre passé ? Des émotions positives telles que la gratitude, la satisfaction, la sérénité, ou bien des émotions négatives telles que le désir de vengeance, la honte, la culpabilité, le ressentiment ? Selon ce qu'il en est, vous serez capable de vous lancer vers le futur ou vous resterez prisonnier d'un passé qui vous hante. Vouloir améliorer son avenir tout en restant accroché à son passé, c'est comme quitter le quai en chaloupe sans la détacher du quai. Pour améliorer son sort, il faut larguer les amarres ! Un peu de ménage s'impose donc.

Identifiez aujourd'hui un événement passé qui vous retient prisonnier et tentez d'en diminuer l'impact sur votre présent. Voici, pour vous aider à identifier ces événements, quelques questions liées aux émotions négatives suggérées plus haut. Y a-t-il quelqu'un dont vous aimeriez vous venger? Entretenez-vous un sentiment de honte suite à un événement passé? Gardez-vous rancune à quelqu'un d'un agissement passé?

Vous avez identifié au moins un événement vous retenant au passé? Il est maintenant temps de faire la paix avec celui-ci. Plusieurs outils s'offrent à vous pour y arriver. Commencez par vous rappeler les choses telles qu'elles se sont réellement produites. En voulez-vous à quelqu'un? Pensez-vous vraiment que cette personne le mérite? Quelles étaient ses intentions réelles quand les événements se sont produits? Il y a tellement de gens maladroits qui font mal sans le vouloir consciemment.

Il en va de même pour vous. Avez-vous honte ou vous sentez-vous coupable d'un geste passé? Vos intentions étaient-elles mauvaises quand cela s'est produit? En avez-vous tiré une leçon et vous êtes-vous promis de ne pas recommencer? Il serait peut-être temps que vous vous pardonniez le passé afin de mieux apprécier l'avenir.

Par exemple, certains traînent leur divorce pendant des années. Cinq ans après le jugement, ils en veulent toujours à leur «ex». Imaginez l'énergie que le ressentiment peut dévorer. Comment peut-il en rester un peu pour avancer, pour se recréer une vie, pour améliorer son sort? Je parie que, si vous ne vivez pas cette situation, vous connaissez quelqu'un qui la vit actuellement.

Ne vaudrait-il pas mieux que cette personne réalise que le passé est passé, que les bons moments envolés ne reviendront pas et qu'il est temps de passer à autre chose? Je vous demande aujourd'hui d'identifier un élément négatif de votre passé et de faire ce que vous conseilleriez à un ami aux prises avec les mêmes émotions négatives. Que lui diriez-vous pour qu'il largue les amarres? Le temps est venu d'écouter vos propres conseils.

3.5   Avez-vous un deuil à faire?

Avertissement

Le fait de devoir faire ce qui suit ne vous libère pas des obligations que vous avez prises envers vous-même pour la journée. N'oubliez pas de faire avancer un de vos projets aujourd'hui.

Faire du ménage implique aussi de cesser de s'accrocher à des choses qui n'ont plus leur raison d'être. À quoi vous accrochez-vous? Identifiez l'un de ces miroirs aux alouettes aujourd'hui et débarrassez-vous-en.

Simon en avait marre d'être célibataire. Il s'était inscrit sur plusieurs réseaux de rencontre mais à chaque rendez-vous, il n'arrivait pas à s'investir. Il se voyait difficilement avec d'autres femmes parce que, en vérité, il était encore accroché à son ancienne conjointe, une femme qui l'avait laissé et qui ne reviendrait jamais. Au bout du compte, Simon a dû consulter pour enfin réaliser qu'il attendait encore quelqu'un qui ne reviendrait pas et que, pendant ce temps, il bousillait sa vie.

Sylvie avait perdu son emploi comme gérante d'un club vidéo qui avait fermé ses portes. Depuis, elle tentait tant bien que mal de se trouver un emploi ailleurs, mais ses efforts semblaient vains. Les postes de gérante étaient rares et elle se demandait ce qu'elle ferait une fois ses prestations d'assurance-emploi terminées. Jusqu'à ce qu'elle lise un article dans le journal expliquant que l'âge d'or des clubs vidéo était terminé et que ces commerces allaient bientôt disparaître. Du coup, Sylvie s'est reprise en main. Elle gère maintenant une entreprise spécialisée en conception Web.

Vous accrochez-vous à quelque chose qui vous empêche d'avancer? Y a-t-il un chapitre de votre vie qui est terminé mais que vous refusez de considérer comme tel? Y a-t-il des gens que vous vous entêtez à aimer alors qu'ils sont des obstacles à votre développement? Simon a fini par trouver l'amour de sa vie. Sylvie s'est trouvé un emploi dans lequel elle se réalise. Aucun d'eux n'aurait pu améliorer son sort sans d'abord avoir fait son deuil. Simon a fait une croix sur son «ex» et Sylvie a constaté que l'emploi qu'elle recherchait n'existerait bientôt plus.

Faire son deuil n'est pas facile, mais tant que ce n'est pas fait, on reste accroché à un ersatz d'univers qui ne repose sur rien. On entretient des illusions qui tiennent bien plus de la nostalgie du passé que de la réalité sur laquelle on pourrait se rebâtir.

Aujourd'hui, identifiez l'un de ces éléments qui vous retiennent prisonnier du passé et qui vous empêchent d'avancer. Faites une croix dessus. Au besoin, si vous sentez que c'est trop pour vous, allez consulter un ami, un coach ou un psychologue. Vous ne pouvez pas rester prisonnier d'une illusion. Il vous faut revenir sur terre.

Il ne sert à rien d'attendre votre chevalier servant s'il est mort au combat. Il ne sert à rien de vous entêter à produire votre œuvre sur une cassette huit pistes alors que personne n'a plus de lecteur pour la lire. Prenez conscience de votre monde et agissez en fonction de ce qu'il est aujourd'hui. Le passé est passé. L'avenir vous appartient.

3.6   C'est la faute à qui, déjà ?

Aujourd'hui, dressez la liste de toutes les défaites que vous vous donnez pour ne pas être à la hauteur. Vous savez, tous ces regards pitoyables sur un passé que vous avez dû subir. Demandez-vous ensuite qui est responsable de ce que vous ferez à compter de maintenant? Promettez-vous de ne plus excuser votre inaction en faisant référence à des événements passés.

Il est tellement facile de trouver des boucs émissaires pour expliquer qu'on ne se réalise pas pleinement. C'est la faute de mes parents qui ne m'ont pas assez encouragé. C'est la faute de mon « ex » qui est partie avec la maison. C'est la faute de mon patron qui ne me fait pas assez confiance. C'est la faute de…

Il est réconfortant d'avoir quelqu'un à blâmer, n'est-ce pas? Cela nous enlève toute responsabilité. Cela nous rassure que rien n'est notre faute, que nous ne sommes que des victimes impuissantes et que si les autres avaient mieux agi, nous ne serions pas dans la merde actuellement. Vous reconnaissez-vous un peu là-dedans? Aujourd'hui, vous réduirez à néant au moins une de ces excuses.

Dressez une liste de vos sempiternelles excuses et choisissez-en une. Réfléchissez bien et demandez-vous en quoi cette excuse vous empêche d'aller de l'avant AUJOURD'HUI. Par exemple :

❑ *C'est la faute de mes parents qui ne m'ont pas assez encouragé !* Peut-être. Mais est-ce une raison pour ne rien faire aujourd'hui ? Vos parents vous maintiennent-ils attaché sur une chaise, impuissant ? Non. S'ils n'ont pas été à la hauteur, oubliez-les et allez de l'avant. Le reste de votre vie ne mérite pas que vous restiez bloqué à ruminer votre enfance.

❑ *C'est la faute de mon « ex » qui est partie avec la maison !* Il est vrai qu'une séparation peut porter un sérieux coup au sentiment de sécurité financière. Mais est-ce la fin du monde ? Est-ce une raison pour vous asseoir sur le trottoir et pleurer que votre vie est finie ? Vous avez bâti des choses dans le passé. Vous êtes encore capable de le faire. Au lieu de ruminer une relation passée, criez *basta !* et décrochez.

❑ *C'est la faute de mon patron qui ne me fait pas assez confiance !* Et alors ? Cela vous emprisonne-t-il et vous fait-il renoncer à l'expression de toutes vos bonnes idées ? Si ce patron est idiot, que faites-vous encore à son emploi ? Trouvez une entreprise qui saura miser sur votre créativité.

Réalisez à quel point le fait de blâmer ne vous rapporte rien. Le blâme vous immobilise. Le blâme entretient un sentiment d'impuissance qui vous amène à vous contenter de votre sort actuel. Le blâme atrophie vos talents en laissant entendre que votre vie est le résultat de facteurs externes. Bien que vous le sachiez dans votre for intérieur, c'est vous qui contrôlez vos actions à chaque jour. C'est vous qui décidez si vous serez une victime ou un champion !

Aujourd'hui, choisissez d'être un champion. Débarrassez-vous du blâme qui vous a empêché de réussir à ce jour. *Basta !*

3.7 Branle-bas dans votre garde-robe!

AVERTISSEMENT

Le fait de devoir faire ce qui suit ne vous libère pas des obligations que vous avez prises envers vous-même pour la journée. N'oubliez pas de faire avancer un de vos projets aujourd'hui.

Aujourd'hui, vous allez faire du ménage. Fouillez dans vos choses et jetez au moins un article qui vous retient au passé ou que vous souhaitez changer. Vous pouvez trouver cet article dans votre garde-robe, votre bibliothèque, sur vos murs ou ailleurs. Mais faites du ménage et, si vous ne souhaitez pas jeter, recyclez!

On dit souvent que la nature a horreur du vide. C'est vrai. Mais elle a également horreur du trop-plein! Vous le constatez régulièrement avec votre emploi du temps : si vous êtes occupé du matin au soir, vous ne pourrez jamais quitter votre routine et améliorer votre sort. Vous devez vous libérer du temps pour pouvoir poser les gestes qui changeront votre vie. Vous devez dire non à certaines obligations.

De même, il y a des choses que nous traînons et qui nous laissent enchaînés à notre ancienne vie. Avez-vous remarqué que lorsque votre garde-robe déborde, vous rechignez à vous procurer de nouveaux vêtements? Pourtant, qu'est-ce qui vous dit que ces vêtements ne sont pas passés de mode, qu'ils ne communiquent pas de vous l'image d'un vieux ringard ? Mais tant que vous ne ferez pas le ménage, vous n'aurez pas de place pour des vêtements qui donneraient de vous l'image que vous avez besoin de projeter pour ce nouvel emploi, cette nouvelle compagne, ce nouveau défi.

Votre bibliothèque est peut-être pleine de ces livres qu'on vous a obligé de lire au secondaire, et vous n'avez plus de place pour ce que vous pourriez lire aujourd'hui pour améliorer votre vie. Il est même possible que trône encore dans votre salon une photo de vous et votre «ex». Et vous vous demandez pourquoi vos nouvelles conquêtes prennent rapidement la poudre d'escampette...

Ne serait-il pas temps de faire un peu de ménage ? C'est ce que je vous encourage à faire aujourd'hui. Choisissez sur quoi vous vous concentrerez (garde-robe, bibliothèque, etc.) et séparez le grain de l'ivraie. Qu'est-ce qui ne vous servira vraisemblablement plus ? Qu'est-ce qui vous est utile ? Qu'est-ce qui prend trop de place et qui vous empêche de construire cette nouvelle vie dont vous rêvez ?

Bien sûr nous nous attachons à nos choses. Ce méritas que vous avez reçu en cinquième année vous rappelle de bons souvenirs. Idem pour cette cassette huit pistes que vous ne pouvez plus faire jouer, faute de lecteur. Ne vaudrait-il pas mieux vous alléger un peu si vous souhaitez avancer ? Sinon, vous êtes comme ce pêcheur qui rame et rame sans avoir détaché sa chaloupe du quai.

Faites de la place dans votre vie pour ce qui est à venir au lieu de vous accrocher à ce qui est passé. Si votre vie est encombrée, vous pouvez profiter de la journée pour vous désencombrer un peu.

3.8　Du ménage dans vos finances

A<small>VERTISSEMENT</small>

Le fait de devoir faire ce qui suit ne vous libère pas des obligations que vous avez prises envers vous-même pour la journée. N'oubliez pas de faire avancer un de vos projets aujourd'hui.

Aujourd'hui, dressez votre bilan financier[4] et déterminez ce que vous ferez pour l'assainir. Si les dés vous ont déjà, à ce jour, fait atterrir ici, évaluez ce que vous avez fait depuis et décidez si vous devez vous récompenser ou vous reprendre en main.

Le facteur numéro un qui empêche les gens de se réaliser, c'est l'endettement. Si vous vous trouvez dans cette situation, ne vous considérez pas comme un pestiféré, car vous n'êtes pas le seul. En fait, selon une étude de BMO Marché des capitaux parue en juin 2011, un Canadien sur quatre se trouverait mal pris s'il fallait qu'il saute un seul chèque de paie. L'endettement empêche de dormir, rend impuissant (dans tous les sens du terme) et vous maintient dans votre situation actuelle parce que vous ne pouvez plus en sortir. L'endettement vous piège.

---

4. *Si vous ne savez pas comment préparer un bilan et que vous êtes inscrit à* www.jemeriteplus.com, *cliquez sur téléchargement, puis sur 3.8. Vous pourrez télécharger un formulaire à cet effet.*

La bonne nouvelle, c'est qu'il y a moyen de vous en sortir. Il existe deux outils pour y arriver : le bilan et le plan de redressement. Je vous invite aujourd'hui à dresser votre bilan et à vous questionner sur ce que vous pouvez faire pour l'assainir. Commencez par faire la liste de tout ce que vous possédez, puis la liste de tout ce que vous devez. Il est fort possible que vous deviez plus que ce que vous possédez. C'est courant chez ceux qui se sentent prisonniers de leur vie actuelle.

Établissez alors un plan de match pour inverser les chiffres. La première étape consiste à réduire vos dépenses. Faites la liste de vos revenus et dépenses. Les revenus devraient être supérieurs à vos dépenses obligatoires. Si tel n'est pas le cas, des gestes doivent être posés. Vous devez réduire les dépenses sur lesquelles vous avez du pouvoir. Si vous pensez n'avoir aucun pouvoir, lisez mon livre *Bien payé mais toujours cassé*.

La deuxième étape consiste, à même les surplus produits avec l'excédent des revenus sur les dépenses, à réduire votre endettement. C'est souvent un processus lent qui exige d'être promu au rang de projet. Il faut procéder par priorité en commençant par payer les dettes qui coûtent le plus cher en intérêts, puis en vous débarrassant des autres par la suite. C'est un processus qui exige de la discipline et la capacité à reporter le plaisir.

Pour la troisième étape, grâce à la marge de manœuvre que vous vous êtes donnée, vous êtes maintenant en mesure d'investir dans des projets et de faire grimper vos revenus. C'est à ce moment que vous vous sentez libéré de l'angoisse et du sentiment d'impuissance. C'est une véritable fête !

Posez le premier jalon vers cette troisième étape dès aujourd'hui. Imposez-vous de la rigueur au niveau financier.

Mettez-vous en action vers votre libération et votre émancipation financière. Cela nécessitera des efforts de votre part. Vous n'avez pas à rester impuissant ou bloqué face à votre potentiel.

3.9 Une nouvelle vision de vous-même

AVERTISSEMENT

Le fait de devoir faire ce qui suit ne vous libère pas des obligations que vous avez prises envers vous-même pour la journée. N'oubliez pas de faire avancer un de vos projets aujourd'hui.

Aujourd'hui, identifiez toutes les fois où vous êtes tenté de vous excuser en disant : «Je n'y peux rien, je suis comme ça» et dressez la liste de tout ce que vous pourriez faire au lieu de vous cacher derrière une défaite aussi faible.

Chaque fois que Martine se plaignait du peu de communication de son conjoint, celui-ci lui répondait qu'il n'y pouvait rien, que c'était comme ça. Martine a enduré un certain temps et elle a fini par demander le divorce.

Chaque fois que ses collègues se plaignaient des colères soudaines de Robert, celui-ci répondait : «Que voulez-vous, je suis soupe-au-lait.» Hier, il a été mis en congé sans solde pour trois jours.

Qui allez-vous blâmer dans ces deux exemples? Martine et le patron de Robert? Ou l'époux de Martine et Robert lui-même? Vous reconnaissez-vous dans cette manière de vous excuser de certains comportements parce qu'*on est comme on est*? Aujourd'hui, vous allez faire le ménage de ce type d'excuses.

D'accord, on est comme on est. Mais nos comportements sont sous notre contrôle. Même s'il a une préférence pour l'introversion, l'époux de Martine aurait pu développer des habiletés de communication et prévoir du temps à chaque jour pour échanger avec elle. Je parie qu'elle aurait apprécié ses efforts. Idem pour Robert qui aurait pu apprendre à respirer et à contrôler ses colères. Et vous, quelle est votre défaite pour justifier ces comportements qui irritent ceux qui vous entourent?

Je vous demande aujourd'hui de les identifier. Si vous n'en avez pas, tant mieux. Contentez-vous de faire progresser vos projets et la journée se passera aisément. Mais si vous vous êtes reconnu, prenez soin, tout au long de la journée, d'être attentif à ce que vous dites quand vous vous retrouvez sur la défensive.

Il peut être tentant d'invoquer votre enfance et vos parents dysfonctionnels pour expliquer vos écarts de conduite. Mais ce que vous faites aujourd'hui vous appartient. Il peut être tentant de justifier votre manque de confiance en invoquant tout ce que vous a fait votre «ex», mais les gens qui vous entourent aujourd'hui ne sont pas votre «ex» et ils sont probablement dignes de confiance. En vous rabattant bêtement sur des vieilles histoires, vous vous privez d'un tas de belles expériences et vous vous condamnez à répéter les erreurs du passé.

Vous n'êtes pas que le bête produit de votre nature profonde ou de votre passé. Vous disposez d'un libre-arbitre et vous vous sentirez bien plus puissant quand vous prendrez le contrôle de vos comportements. Vous êtes le capitaine de votre navire. S'il a tendance à tourner à bâbord, vous maintiendrez légèrement la roue à tribord afin de garder le cap. Ne renoncez pas au rôle principal dans votre vie. Vous n'êtes pas un figurant.

3.10 Du ménage dans vos croyances

Aujourd'hui, faites le tour des fausses croyances qu'on vous a inculquées étant jeune et engagez-vous à ne plus les suivre aveuglément. Vous n'avez pas à rester prisonnier des mensonges dont on vous a abreuvé depuis que vous êtes au monde.

On est né pour un p'tit pain. On n'est pas riche mais on est honnête. Plus on monte haut, plus ça fait mal quand on redescend. Ne lis pas trop, ça rend fou. Il faut respecter ceux qui sont en autorité. Il faut tendre l'autre joue. Il faut...

Si vous êtes membre de *www.jemeriteplus.com,* vous pouvez télécharger une liste encore plus longue de toutes ces croyances qui vous empêchent de prendre votre place. Vous pouvez même contribuer à sa mise à jour en nous expédiant un courriel ou en faisant vos suggestions dans la page Facebook.

Vous devez mettre la hache dans ces mensonges. Vous n'êtes pas né pour un p'tit pain. Vous avez le droit d'aspirer à tout ce qu'il y a de mieux au monde et exiger votre place au soleil. En entretenant cette croyance, vous vous privez de tout ce que la vie a à vous offrir. De même, il faut respecter ceux qui sont respectables et les personnes en autorité ne le sont pas nécessairement toutes.

Que croyez-vous que vous vous dites réellement si vous adhérez à *On n'est pas riche mais on est honnête*? Qu'il est impossible d'aspirer à la richesse sans y laisser son âme? Allons donc! Il existe tellement de personnes riches qui sont altruistes et philanthropes. Vous pourriez faire partie du nombre.

Ces fausses croyances, au fond, sont autant de rationalisations qui nous encouragent à demeurer dans la médiocrité. Elles nous confortent en nous laissant entendre qu'il vaut mieux être pauvres et malades que riches et en santé. Que la personne qui aspire à mieux se fera très mal quand elle réalisera que ce n'est pas possible. Et qu'il faut tendre l'autre joue même si l'autre est un agresseur qui continuera à abuser de nous s'il n'est pas ramené à l'ordre.

Aujourd'hui, identifiez une ou deux de ces fausses croyances que vous entretenez encore aveuglément, et remplacez-les par des phrases reflétant davantage votre réalité. Par exemple, la phrase *On est né pour un p'tit pain* pourrait devenir *Je peux aspirer à tout ce que je vais me mériter*. Au lieu d'associer richesse et malhonnêteté, vous pourriez vous dire qu'on peut améliorer son sort tout en respectant ses valeurs.

Vous avez droit à ce qu'il y a de mieux. Il suffit de vous le mériter. Et pour vous le mériter, rigueur et discipline sont de mise. Ce ne sont pas des dictons éculés qui vont définir votre avenir. C'est votre décision de prendre votre avenir en main. Les seules croyances que vous devez accepter sont celles qui vous permettront d'accéder à l'avenir dont vous rêvez.

3.11 Du ménage dans vos attentes face aux autres

AVERTISSEMENT

Le fait de devoir faire ce qui suit ne vous libère pas des obligations que vous avez prises envers vous-même pour la journée. N'oubliez pas de faire avancer un de vos projets aujourd'hui.

Aujourd'hui, prenez garde à vos relations avec les autres et, plus principalement, à vos attentes face à eux. Assurez-vous de ne pas tomber dans un piège relationnel.

L'enfer, c'est les autres, écrivait Sartre, mais il avait un peu tort. L'enfer, c'est souvent davantage le résultat de nos attentes face aux autres plutôt que la seule obligation de vivre en société. Nous entretenons souvent, en effet, trois pièges relationnels qui nous condamnent à être déçus des autres.

Le premier piège relationnel, c'est l'*illusion de la télépathie*. On s'imagine alors que les gens savent ce qui se passe dans notre tête et qu'il est, par conséquent, inutile de communiquer nos attentes. Par exemple, vous rentrez du travail et le fait de constater que personne n'a sorti les ordures vous met en colère. Vous vous demandez alors pourquoi est-ce toujours vous qui devez assumer cette responsabilité. «Ils devraient bien savoir que c'est mardi!», maugréez-vous en traînant le bac au chemin. Et vous vous condamnez à une soirée désagréable.

L'antidote à l'illusion de la télépathie, c'est la communication. Je devine que si vous aviez demandé à l'un de vos enfants de sortir les poubelles en revenant de l'école, il l'aurait fait. Mais au lieu de formuler votre demande, vous l'avez simplement tue.

Le deuxième piège relationnel, c'est le *besoin de validation*. Vous en souffrez si vous ressentez constamment le besoin que les autres vous disent que vous agissez bien, que votre travail est correctement exécuté ou que vous avez fait un bon choix de destination pour les vacances. Ces personnes étouffent les gens qui les entourent en demandant une attention de tous les instants alors que ces gens ont autre chose à faire.

L'antidote au besoin de validation, c'est le développement de l'estime de soi et la capacité de valider soi-même la qualité de son travail ou de ses choix.

Le troisième piège relationnel, c'est l'*interprétation*. Par exemple, un collègue oublie de vous sourire un matin alors que c'est son habitude de le faire. Immédiatement, vous vous demandez ce que vous avez fait pour qu'il soit en colère contre vous et vous passez une journée difficile.

L'antidote à l'interprétation, c'est le questionnement. Pourquoi ne pas aller voir votre collègue, lui dire qu'il n'a pas l'air de bien aller, et lui demander si vous pouvez faire quelque chose pour lui. Sa réponse viendra généralement vous confirmer que vous n'y êtes pour rien.

Aujourd'hui, prêtez attention à ce qui se passe dans votre tête quand vous êtes en contact avec les autres et, au besoin, utilisez la communication et le questionnement pour améliorer vos relations. Apprenez également à être fier de vos accomplissements sans nécessairement devoir vous faire féliciter par autrui. L'enfer, ce n'est pas les autres ; c'est simplement notre incapacité à entretenir des relations claires et mutuellement enrichissantes avec ceux qui nous entourent.

3.12 Ne vous laissez pas tirer vers le fond

AVERTISSEMENT

Le fait de devoir faire ce qui suit ne vous libère pas des obligations que vous avez prises envers vous-même pour la journée. N'oubliez pas de faire avancer un de vos projets aujourd'hui.

Identifiez une personne que vous pourriez classer comme contreproductive par rapport à vos projets et réduisez vos interactions avec elle.

Avez-vous vu le film *Jaws*? Dans ce film, alors que certains personnages s'y attendent le moins, des requins les attaquent et les tirent vers le fond pour mieux les bouffer. Tiré vers le fond, il devient difficile de retrouver la lumière. On se retrouve rapidement noyé.

Nous avons rencontré beaucoup de personnages à ce jour. Au fil des activités, vous avez rencontré les amis, les envahisseurs et les complices. Traitons maintenant des requins.

Alors que vous aimeriez vous envoler, ces personnes vous tirent vers le fond et tentent de vous faire prendre les profondeurs pour le nirvana. Il y en a sûrement autour de vous. Ce sont des créatures qui se contentent du minimum et qui aimeraient que vous épousiez leur mode de vie.

❑ Marc est vendeur. N'étant pas un as de la vente, il se tient avec ses collègues moins productifs. Ceux-ci aiment bien se plaindre d'être mal payés et ils adorent prendre les meilleurs vendeurs comme têtes de Turc. Pour continuer d'être apprécié de ces collègues, Marc a depuis longtemps compris qu'il ne devait pas parler avec les top vendeurs. En conséquence, il n'apprendra jamais leurs trucs…

❑ Félicie est célibataire et, depuis des mois, elle soupe tous les samedis avec son amie Ghislaine. Elles passent la soirée à se plaindre des hommes et de leur faible capacité à s'engager. Or, cette semaine, Félicie a fait une rencontre et elle est charmée par celui qui pourrait devenir son nouvel amoureux. Lors de leur rendez-vous du samedi, son amie Ghislaine a réagi en lui disant qu'il n'était pas pour elle, qu'il la courtisait seulement pour se retrouver dans son lit et qu'elle devait l'oublier. Félicie a donc cessé de répondre aux appels de son courtisan…

Savez-vous comment réagit un requin quand vous cessez de jouer son jeu ? Vous devenez son ennemi. Il ne peut pas comprendre que vous ne suiviez plus ses directives. Les prétendus amis de Marc vont le mettre au banc s'il se met à fraterniser avec les meilleurs vendeurs. Ghislaine ne parlera plus à Félicie si cette dernière s'investit dans une relation durable. Les requins ne veulent pas vous voir vous réaliser. Ils vous préfèrent dans la fange, avec eux.

Que faire face à un requin ? S'il est évident qu'il ne changera pas, il faut s'en éloigner afin de mettre un terme à son influence négative. Si Marc souhaite améliorer ses revenus, il doit changer d'environnement. Si Félicie tient à sa vie amoureuse, elle doit cesser de croire que Ghislaine a toujours raison.

Y a-t-il des requins dans votre environnement? Des gens qui vous tirent vers le fond pour ne pas vous voir les dépasser? Si tel est votre cas, voici la journée idéale pour vous en éloigner, pour sortir de leur rayon d'influence, pour cesser de vous faire tirer vers le bas.

Dans certaines situation, cette cassure ne sera pas facile. Il se peut que vos requins soient vos parents, vos supposés meilleurs amis, des gens qui avaient votre respect. Mais vous n'avez pas besoin d'eux s'ils souhaitent vous cantonner dans la médiocrité. Libérez-vous!

Chapitre 4

L'IMPORTANCE DE LA VITALITÉ

Je n'ai jamais, de toute ma vie, fait autre chose
que travailler pour me rendre malade quand je jouissais
de ma santé, et travailler pour regagner ma santé
quand je l'avais perdue.

– GIACOMO CASANOVA

Quel beau cadeau que celui de la vitalité! Ce mot, tiré du latin *vitalitas,* ou principe de vie, correspond à une force qui habite un individu et qui lui donne envie d'aller de l'avant, de réaliser des choses. Sans vitalité, c'est l'apathie ou, comme je l'ai appelé dans *Pourquoi vous contenter d'être heureux?,* l'acédie, c'est-à-dire une torpeur spirituelle qui nous amène à nous contenter de ce qu'on a, à nous asseoir sur nos lauriers, à ne plus attendre davantage de la vie.

Mais qu'est-ce qui est à l'origine de la vitalité? Trois éléments, en fait. Il y a tout d'abord la santé physique. Sans celle-ci, il devient plus difficile de faire les efforts nécessaires pour gagner au jeu de la vie. La discipline devient taboue. La facilité devient le choix par défaut. Pourquoi se fatiguer quand il serait possible de ne rien faire? Et pendant ce temps, la vie poursuit son cours et nous vieillissons peu à peu.

La deuxième source de vitalité, c'est le plaisir d'être vivant, le sentiment de vibrer au même rythme que la vie. Ce plaisir grandit quand vous ressentez majoritairement des émotions positives chaque jour et, contrairement à ce que vous pouvez penser, vous avez du contrôle là-dessus. Vous pouvez consciemment faire grandir ce réservoir d'énergie si vous posez les bons gestes.

La vitalité repose finalement sur la santé mentale. Les pensées négatives, la tendance à dramatiser, à prendre les choses personnellement ou à entretenir du ressentiment constituent tous des drains énergétiques qui nous laissent sur les genoux, déjà complètement vidés en milieu de journée. Alors qu'il y aurait tant à faire pour améliorer notre situation.

Tel que le suggère la citation débutant ce chapitre, nous avons tendance à dilapider ces trois sources de vitalité quand nous en disposons abondamment. Pourtant, il est tellement plus facile de gagner au jeu de la vie quand nous en disposons à satiété, quand nous arrivons à la créer et à la conserver. Ces jours-là, les tâches ne nous font pas peur. Nous les abattons sans trop ressentir la fatigue tellement leur réalisation nous semble agréable.

Les douze activités que vous trouverez dans ce chapitre vous permettront de faire grimper votre niveau d'énergie, de retrouver votre plaisir d'être vivant et d'améliorer votre santé mentale. Sans la vitalité qui en découlera, même la réalisation de vos objectifs vous laissera de glace. Vous n'aurez même pas l'énergie nécessaire pour célébrer. Sortez donc vos dés et lancez-les !

4.1   Un peu d'exercice aujourd'hui ?

A VERTISSEMENT

Le fait de devoir faire ce qui suit ne vous libère pas des obligations que vous avez prises envers vous-même pour la journée. N'oubliez pas de faire avancer un de vos projets aujourd'hui.

Aujourd'hui, dépassez-vous et investissez-vous davantage physiquement. Au lieu de prendre l'ascenseur, prenez l'escalier. Au lieu de vous rendre au dépanneur en voiture, allez-y à pied. Saisissez toutes les occasions de dépenser ces calories que vous avez accumulées au cours des dernières années et de retrouver ce corps que vous habitez.

Il existe une forte corrélation entre la santé physique et la santé mentale. Chaque fois que vous améliorez l'un, vous faites progresser l'autre. Je ne vous demanderai pas aujourd'hui de vous lancer dans un programme complet de mise en forme. Si vous le souhaitez, vous pouvez en faire un projet lorsque vous obtiendrez 1 et 2 lors d'un lancer de dés. Je veux cependant que vous vous dépensiez plus physiquement et que vous retrouviez le plaisir de l'effort physique.

Libre à vous de faire ce qui vous allume. Ce peut être une marche au parc ou quelque chose de plus ambitieux si vous êtes déjà habitué à vous entraîner. Ce qui importe, c'est de revitaliser ce corps que vous habitez. De le sentir à nouveau et de réaliser qu'il n'est pas uniquement un véhicule que vous pouvez négliger parce que vous le changerez à la fin de votre bail. C'est le seul que vous avez et vous l'aurez toute votre vie.

Vous aurez peut-être mal aux jambes ou au dos demain. Et alors? Ce qui est important, c'est que vous appreniez à faire attention et à mieux entretenir votre corps. Trop de personnes le tiennent pour acquis jusqu'à ce qu'il flanche. Ensuite, elles regrettent amèrement leur négligence. Vous n'avez pas à attendre d'être confronté à la maladie pour vous occuper de votre santé physique. Regardez autour de vous et constatez à quel point certaines personnes se sont trop négligées.

Alors, qu'est-ce que ce sera? Qu'allez-vous faire pour vous dépenser plus qu'à l'habitude? Et si vous faisiez une randonnée pédestre en montagne? Ou si vous vous rendiez au dépanneur à pied? Libre à vous de choisir votre activité.

Ce n'est pas par hasard que cette activité se retrouve dans ce livre. Une meilleure santé physique vous donnera automatiquement plus de vitalité. Et cette vitalité, vous en avez besoin pour accomplir chacune des étapes de votre échéancier. Sinon, votre manque d'énergie risque de vous faire sombrer dans l'apathie ou le découragement (sans compter les impacts négatifs sur votre vie sexuelle et votre capacité à apprécier la vie). À partir de ce moment, vous risquez de renoncer à tous vos rêves. Une bonne forme physique augmente vos chances d'atteindre les sommets que vous vous êtes fixés.

En fin de journée, prenez le temps de ressentir cette fierté légitime qui devrait vous animer parce que vous avez fait l'effort de bouger. Et promettez-vous de ne pas attendre que les dés vous donnent à nouveau 4 et 1 pour recommencer. Ne laissez pas votre santé au hasard. Sans elle, vous aurez de la difficulté à réaliser tous vos projets.

4.2   Une nouvelle diète pour la journée

AVERTISSEMENT

Le fait de devoir faire ce qui suit ne vous libère pas des obligations que vous avez prises envers vous-même pour la journée. N'oubliez pas de faire avancer un de vos projets aujourd'hui.

Aujourd'hui, évitez les excès. Si vous avez tendance à trop picoler, prenez un congé d'alcool de 24 heures. Si c'est le sucre qui est votre péché mignon, il est temps de dire non aux desserts. Bref, faites attention à votre alimentation et n'ingérez pas plus de calories que vous en dépenserez.

Il existe, en informatique, une expression qui dit *garbage in, garbage out*. Si vous entrez n'importe quelle information dans un programme, il en sortira n'importe quoi. Par exemple, une base de données mal entretenue ne donnera pas des rapports fiables parce que la qualité des résultats ne peut pas être supérieure à la qualité des informations entrées.

Il en va de même pour votre corps. Si vous lui donnez de la malbouffe à longueur de journée, ne soyez pas surpris qu'il ne vous donne pas un rendement correspondant à ce qu'il devrait vous offrir, compte tenu de votre âge. Or, vous avez besoin d'énergie pour mener vos projets à terme. Sans vitalité, la routine reprendra rapidement le dessus sur vous et vous serez éjecté de la partie. Vous ne penserez même plus à lancer les dés à chaque jour.

Idéalement, un programme de remise en forme devrait figurer parmi la liste de vos projets. Et même si ce n'est pas le cas, vous allez faire attention à votre santé aujourd'hui. Je vous encourage également, si ce n'est déjà fait, à télécharger le guide alimentaire canadien[5] et à le consulter. Vous serez initié aux bases d'une alimentation équilibrée. Vous pourrez prendre conscience de ce que vous vous infligez quotidiennement en négligeant votre véhicule physique.

Car le déséquilibre vous tue lentement. Sans nécessairement vous rendre malade sur-le-champ, il encrasse votre système et réduit votre rendement. Il en va de même avec l'alcool qui vous amortit, réduit votre énergie et ralentit vos réactions. Or, si vous souhaitez aller de l'avant, vous avez besoin de toutes vos facultés. Pour réussir, vous devez être prêt à fournir cet effort supplémentaire qu'une bonne alimentation peut vous aider à trouver. Ce que, dans le sport, on appelle le deuxième souffle.

Aujourd'hui sera donc la journée où vous ferez particulièrement attention. Vous restez aux aguets des possibilités qui se présentent à vous. Vous ne laisserez pas l'alcool ou les calories vides venir affaiblir vos facultés. Mangez avec discernement. Refusez ce deuxième apéro. Privilégiez les plats santé. Donnez à votre organisme le meilleur combustible possible. Il vous en remerciera.

Je ne vous dis pas que ce sera facile, mais je parie que vous serez fier de vous ce soir. Fier d'avoir su vous discipliner. Fier d'avoir accompli davantage que les jours où

---

5. www.hc-sc.gc.ca/fn-an/food-guide-aliment/order-commander/index-fra.php.

vous faites des excès de malbouffe ou lorsque vous prenez un verre de trop. Et qui sait? Vous serez peut-être tenté de faire de même demain, même si vos dés n'indiquent pas les chiffres 4 et 2. On prend goût à l'énergie d'un corps en pleine forme...

4.3   Pomponnez-vous

Posez aujourd'hui un geste qui fera que vous vous sentirez plus beau ou plus belle dès aujourd'hui ou d'ici peu de temps. Vous êtes un être d'exception. Vous méritez de vous montrer sous votre meilleur jour.

On a beau dire que l'habit ne fait pas le moine, l'image que vous entretenez de vous-même a un impact considérable sur votre niveau d'énergie et votre capacité à communiquer vos projets et vos besoins avec enthousiasme. Je connais, par exemple, des gens dont la vie a changé dramatiquement après un traitement dentaire. Incapables de sourire avant, puis heureux de le faire après. Incapables d'aller vers les gens avant, puis désireux de le faire après. Ils regrettent souvent de ne pas avoir pris leur décision plus tôt.

Il en va de même pour vous et c'est normal : vous êtes constamment en train de vous évaluer et de vous juger, trop souvent négativement. Ce jugement a un impact sur vos relations interpersonnelles et, ce faisant, sur votre capacité à relever vos défis et à atteindre vos objectifs. En faisant grandir l'estime que vous avez de vous-même, vous anéantissez cette auto-censure qui vous nuit chaque jour.

Alors, si vous aviez une seule chose à changer, qu'est-ce que ce serait ? Qu'est-ce qui vous gêne ? Qu'est-ce qui vous ralentit ? Au besoin, si vous n'en avez aucune idée, demandez à un ami ce que vous pourriez faire pour améliorer votre apparence. Il vous dira peut-être que vos chemises sont élimées et que vous auriez intérêt à vous en procurer une ou deux nouvelles ou qu'un peu d'anti-sudorifique vous ferait le plus grand bien.

Il se peut aussi qu'on vous ait dit que votre coiffure n'était pas à la hauteur, que votre sourire était un handicap ou que vous êtes très bien ainsi, mais que vous auriez intérêt à prêter davantage attention à certains petits détails.

Identifiez aujourd'hui une voie d'amélioration et posez un geste vers sa réalisation. Appelez votre dentiste. Trouvez un coiffeur-styliste. Contactez un consultant qui vous permettra, en renouvelant votre garde-robe, de projeter une image améliorée qui vous aidera à atteindre les sommets que vous vous êtes fixés.

C'est fou ce qu'un petit changement extérieur peut avoir comme impact intérieurement. Rappelez-vous comment vous vous êtes senti la dernière fois qu'on vous a dit que les vêtements que vous portiez vous allaient à merveille. Cette journée-là, votre confiance personnelle était au max. Vous communiquiez plus efficacement et vous faisiez mieux valoir vos points de vue. C'est normal, car vous vous sentiez bien dans votre peau et à votre place.

C'est ce sentiment que je vous invite à recréer aujourd'hui. Montrez-vous sous votre meilleur jour et ne craignez pas de paraître confiant et sûr de vous. Vous êtes un être humain unique au monde. Pourquoi ne vous mettriez-vous pas en valeur ?

4.4   Dites merci

Aujourd'hui, vous allez fouiller dans vos souvenirs, récents ou lointains, et vous allez identifier une personne qui mérite que vous lui disiez merci. Ensuite, que ce soit par téléphone, par courriel, par courrier ou en personne, remerciez-la et dites-lui l'impact qu'elle a eu dans votre vie.

Parlons un peu de fierté. Il s'agit d'un sentiment légitime qu'il est normal de ressentir quand on a donné tout ce qu'on avait à donner, quand on s'est élevé au-dessus de la mêlée et quand on a réussi alors que rien n'était gagné d'avance. Vous avez de nombreuses raisons de ressentir une telle émotion. Je vous demande de prendre quelques instants, de fouiller dans votre passé et de vous rappeler quelques moments dont vous êtes fier. Vous les avez en mémoire ? Bravo !

Laissez-moi maintenant vous parler d'un mécanisme qu'on appelle le *biais auto-avantageux.* Nous avons souvent tendance, quand nous éprouvons de la fierté, à penser que nous sommes les seuls artisans de notre réussite. Si les gens nous écoutaient raconter nos exploits, ils auraient peut-être tendance à penser que nous en sommes les seuls artisans, que nous avons réussi envers et contre tous, que nous étions seuls face à ce défi.

Pourtant, vous savez comme moi qu'il est bien rare qu'on réussisse seul. Il y a des gens qui nous prêtent main forte au moment où nous en avons particulièrement besoin. Il y en a d'autres qui nous encouragent au moment où nous allons abandonner. Il y en a qui concourent à nos succès.

Je vous demande aujourd'hui d'identifier l'une de ces personnes et de la remercier. Repassez mentalement un de vos moments de fierté. Ressentez cette belle émotion, puis remontez dans le temps et revoyez les étapes qui ont mené à ce moment de gloire. Qui a contribué à votre succès ? Qui a fait une différence ?

Une fois cette personne identifiée, décidez comment vous allez la rejoindre et entrez en contact avec elle. Expliquez-lui en quoi elle a contribué à votre succès. Racontez-lui son importance dans la personne que vous êtes devenue aujourd'hui.

En quoi un tel exercice fera-t-il grandir votre vitalité ? Il vous permettra de réaliser que vous n'êtes pas un être isolé accomplissant son dur labeur contre vents et marées. Vous faites partie d'une société et de nombreux membres de celle-ci vous apprécient à un point tel qu'ils ont cru bon, dans le passé, de cesser de penser à eux pour vous accorder leur aide.

N'est-ce pas revitalisant de réaliser que vous avez une valeur telle que des gens ont été prêts à se démener pour vous aider à atteindre le succès. Aujourd'hui, en disant merci à cette personne, vous célébrerez votre valeur personnelle.

4.5   Hédonisme, quand tu nous tiens

AVERTISSEMENT

Le fait de devoir faire ce qui suit ne vous libère pas des obligations que vous avez prises envers vous-même pour la journée. N'oubliez pas de faire avancer un de vos projets aujourd'hui.

Aujourd'hui, vous allez vous vautrer dans le plaisir. Déterminez ce qui vous ferait envie et vivez-le sans ressentir de honte ou de culpabilité. Profitez-en au max!

Les Grecs disaient que trois éléments étaient nécessaires au bonheur, le premier étant l'hédonisme, c'est-à-dire la recherche du plaisir. C'est celui qui sera au cœur de votre activité du jour. Le plaisir hédoniste peut revêtir de nombreux visages. Voyons quelques exemples.

❑ Vous vous offrez un dessert décadent.

❑ Vous vous achetez un CD ou un DVD de votre artiste favori.

❑ Vous faites l'amour sans retenue, pour le seul plaisir physique.

❑ Vous allez vous faire masser.

❑ Vous vous offrez le repas que vous préférez.

❑ Vous prenez un après-midi de congé pour aller voir un film qui vous tente.

❑ Vous y allez d'une masturbation impromptue.

❑ Vous écoutez votre musique favorite.

Dans tous ces exemples, le plaisir est au rendez-vous. C'est en fait la raison d'être de l'activité. J'aimerais que vous soyez hédoniste aujourd'hui. Choisissez une activité qui vous tente et gavez-vous!

Qu'en dites-vous? Serez-vous capable de vous offrir ce plaisir ou vous sentirez-vous coupable si vous le faites? Car pour beaucoup de gens, le plaisir est honteux. Comment peut-on, en effet, s'offrir du plaisir quand il y a tant de souffrance dans le monde? Il faut être solidaire de tous ceux qui souffrent, qui sont malades, qui n'ont pas eu la chance de naître dans un pays aussi bien que le nôtre, etc. Vous vous reconnaissez?

Dans l'affirmative, j'ai une bonne nouvelle pour vous : vous avez droit au plaisir. Tous les êtres humains y ont droit également. Et chacun peut le trouver quotidiennement dans sa réalité, quelle qu'elle soit. Ce que vous faites aujourd'hui, vous pourrez le répéter demain... en autant que votre quête du plaisir ne vienne pas nuire à la réalisation de tous vos projets.

En effet, c'est quand il y a de l'abus que les problèmes apparaissent. Si la quête du plaisir immédiat nuit trop fréquemment à l'atteinte de vos objectifs, c'est que vous avez perdu ces deux belles valeurs que sont la discipline et la capacité à reporter la gratification immédiate. Il importe que vous les retrouviez au plus vite. Cependant, si vous savez faire avancer vos projets à chaque jour, vous méritez de vivre l'hédonisme sur une base régulière.

Ne vous gênez donc pas aujourd'hui. Gâtez-vous. Profitez de tous les plaisirs que vos sens peuvent vous offrir. Jouissez du soleil sur votre peau. Humez et appréciez les odeurs agréables et réconfortantes qui se présenteront à vous tout au long de la journée. Vous êtes un être humain doté de sens. Utilisez-les!

4.6 Le plaisir eudémonique

AVERTISSEMENT

Le fait de devoir faire ce qui suit ne vous libère pas des obligations que vous avez prises envers vous-même pour la journée. N'oubliez pas de faire avancer un de vos projets aujourd'hui.

Aujourd'hui, vous allez retourner dans votre enfance et votre adolescence. Rappelez-vous un de vos rêves à cette époque. Rappelez-vous une passion qui vous animait. Puis, créez une activité vous permettant de la revivre.

Pour les Grecs, la deuxième clé du bonheur était le plaisir eudémonique, c'est-à-dire le plaisir qu'on ressent quand on est soi-même, quand on utilise ses propres talents et quand nos comportements sont en adéquation avec nos valeurs. Bref, quand on ne fait pas semblant d'être une autre personne que soi.

Le manque d'un tel plaisir est à la base de nombreuses dépressions. Il y a tellement de gens qui s'entêtent à demeurer dans des emplois pour lesquels ils ne sont pas faits, que leurs parents ont choisi pour eux ou qui sont simplement le résultat de mauvais choix. En rationalisant, ces gens s'entêtent à ne rien changer alors qu'ils passent peut-être à côté d'une carrière qui les comblerait. Un emploi ne peut pas vous satisfaire à long terme si vous faites semblant d'être quelqu'un que vous n'êtes pas.

Comment s'insère l'activité du jour dans tout cela? C'est simplement qu'étant jeune, vous n'aviez pas encore appris à faire semblant d'être ce que vous n'êtes pas. Vos passions étaient vraiment les vôtres. Vous ne les aviez pas importées pour être «in», pour être à la mode. Par exemple, si le dessin vous passionnait à l'époque, c'est que cette activité fait partie de vous. Ou si vous rêviez de devenir avocat, c'est probablement que le sens de la justice vous anime.

Identifiez l'une de ces passions de jeunesse et demandez-vous comment vous pourriez faire, aujourd'hui, pour l'exercer. Était-ce le dessin? Dessinez vous-même le fond d'écran de votre prochaine présentation. Était-ce le sens de la justice? Réclamez un meilleur budget pour vous et votre équipe. Soyez ce que vous êtes réellement. Cessez de faire semblant que vous partagez une idéologie, si vous ne l'avez fait à ce jour, seulement pour être accepté par des gens qui n'aimeraient pas votre nature profonde. À bas les masques! Dans le respect des droits des autres, revendiquez le droit d'être vous-même.

Si cela ne vous est pas possible au travail, faites-le à la maison. Vous rêviez d'une carrière d'écrivain? Ce soir, rédigez un texte. Pour ma part, vers ma cinquième année, je montais des pièces de théâtre que nous présentions aux jeunes du quartier le samedi après-midi. C'est ce dont je me suis souvenu quand j'ai perdu mon emploi en 1991. Depuis, je suis conférencier. Je suis devenu ce que j'ai toujours été.

Il y a quelqu'un en vous qui ne s'est probablement jamais exprimé, qui est resté caché parce qu'il n'avait pas l'impression qu'il serait valorisé. Aujourd'hui, permettez à cette personne de se montrer sous son vrai jour. Ne la laissez pas emprisonnée.

4.7   Détente et sérénité

AVERTISSEMENT

Le fait de devoir faire ce qui suit ne vous libère pas des obligations que vous avez prises envers vous-même pour la journée. N'oubliez pas de faire avancer un de vos projets aujourd'hui.

Aujourd'hui, vous allez vous offrir un moment de détente. Identifiez ce qui est le plus susceptible de vous plonger dans la sérénité et offrez-vous ce beau moment. Profitez-en au maximum. Immergez-vous. Vivez ce moment consciemment.

Parlons sérénité. Cette émotion positive vous fait vivre un état de calme, de paix et de confiance morale. C'est un état qui vous donne envie de vous prélasser, de vous délecter du moment. À quand remonte votre dernier rendez-vous avec la sérénité? Vous en aurez un aujourd'hui.

Premièrement, remémorez-vous ce qui vous transporte dans ce délicieux état. Pour certains, ce sera un massage. Pour d'autres, une promenade au parc ou en forêt. Le contact avec la nature permet en effet de se sentir connecté à celle-ci et de réaliser qu'on ne fait qu'un avec l'univers. Le massage, lui, permet une grande détente.

Deuxièmement, décidez ce que vous allez faire pour ressentir à nouveau cette émotion. Vous rendrez-vous au parc aujourd'hui? Y prendrez-vous une marche ou ferez un pique-nique? Allez-vous prendre rendez-vous dans un spa?

Troisièmement, faites-le et, pendant que vous savourez ce moment, immergez-vous dans l'expérience. Utilisez tous vos sens. Constatez les changements de luminosité alors que vous alternez entre les espaces boisés et les espaces dégagés. Écoutez les bruits de la nature. Ressentez ces mains qui dénouent chacun de vos muscles. Soyez présent. Vivez ce moment consciemment.

Nous nous privons malheureusement trop de ces délicieux instants qui nous permettent de nous sentir vivants. Nous sortons de table sans le moindre souvenir du goût de la nourriture que nous avons mangée. Trop concentrés sur la journée qui débute, nous ne prenons pas le temps de voir cet éclatant soleil ou de constater ce qui se passe autour de nous. Nous oublions que vivre, c'est davantage que simplement respirer, dormir et aller travailler.

Je vis un de ces moments présentement. Je suis assis à l'extérieur pour écrire. Au-dessus de moi volent les pics, les sittelles et les mésanges. Je les regarde se nourrir aux mangeoires et repartir vers la forêt. De celle-ci me parviennent des chants d'oiseaux ou les cris de quelques ouaouarons.

Remarquez que les exemples que je vous ai donnés ne sont qu'indicatifs. C'est à vous de déterminer quelles expériences vous font ressentir la sérénité. Il n'y a pas que le contact avec la nature et les massages. La méditation peut vous faire atteindre ce bel état de sérénité. La musique peut faire de même. Trouvez ce qui fonctionne pour vous et n'attendez pas de relancer les dés 4 et 7 pour vous offrir un tel moment.

Au contraire, soyez généreux envers vous-même. D'autant plus que ces moments sont souvent gratuits. Ils ne requièrent que du temps, du temps que vous vous accordez parce que vous le méritez.

4.8   Un peu plus haut, un peu plus loin

Avertissement

Le fait de devoir faire ce qui suit ne vous libère pas des obligations que vous avez prises envers vous-même pour la journée. N'oubliez pas de faire avancer un de vos projets aujourd'hui.

Songez à votre passé. Quels sont les évènements qui vous ont permis, à ce jour, de ressentir les sentiments d'élévation et de ravissement? Prévoyez aujourd'hui une activité pour renouer avec ces émotions.

L'élévation, c'est une émotion qui vous élève spirituellement et qui vous donne envie de devenir meilleur, de faire le bien ou de mieux jouer votre rôle dans l'univers. Le ravissement, c'est une émotion qui vous élève à un autre niveau quand vous observez quelque chose de beau et que vous vous sentez emporté ou envoûté.

Des évènements banals peuvent nous toucher et nous élever. J'étais récemment à l'aéroport, en attente de mon amoureuse dont le vol avait une heure de retard. Pendant cette heure, j'ai assisté à moult retrouvailles. Des amoureux se courant dans les bras les uns les autres. Des enfants heureux de retrouver un être cher. Des familles retrouvant leurs enfants revenus de vacances ou de leurs études. Les sourires étaient visibles, et, surtout, l'amour était perceptible. C'est ce genre d'évènement qui m'élève personnellement.

Mais je ne vais pas vous expédier à Dorval aujourd'hui ! D'autant plus que rien n'assure que le fait d'être témoin de retrouvailles puisse vous émouvoir. C'est peut-être le cinéma qui vous fait passer à un autre niveau. C'est peut-être le fait de voir qu'une personne, malgré l'adversité, a fait triompher le bien. Ce peut être la lecture d'un livre de poésie. Pour ma part, je lis chaque année *L'art poétique* de Boileau et j'exulte chaque fois.

Quand arrive le temps d'activer l'une ou l'autre des émotions qui font réaliser qu'on est bien vivant, chaque être humain a des déclencheurs personnels. Ce qui déclenche la joie chez un individu peut fort bien déclencher la tristesse chez un autre. Les émotions sont personnelles à chacun. Je ne peux donc pas transformer ce livre en un guide étape par étape et vous dire ce que vous devez absolument faire pour vous sentir élevé ou ravi aujourd'hui.

Vous devez donc trouvez votre déclencheur. Mais si vous n'avez aucune idée ou aucun souvenir de ce qui vous a donné envie de devenir meilleur et de vous rapprocher de ce que la nature humaine a de mieux en elle, voici quelques idées que vous pourriez mettre en pratique prochainement : assistez à la conférence d'un motivateur reconnu pour ses anecdotes touchantes, faites un peu de bénévolat pour un organisme dont la cause vous tient à cœur, visionner le film *La vie est belle,* participez à une messe gospel, partez sur l'autoroute à l'automne pour assister à la féérie des couleurs, etc.

Tôt ou tard, vous trouverez ce qui vous fait vibrer. À partir de là, vous pourrez répéter l'expérience chaque fois que vous le souhaiterez.

4.9   Des émotions positives à la carte

AVERTISSEMENT

Le fait de devoir faire ce qui suit ne vous libère pas des obligations que vous avez prises envers vous-même pour la journée. N'oubliez pas de faire avancer un de vos projets aujourd'hui.

Aujourd'hui, vous allez vivre l'une des trois émotions positives suivantes : l'amusement, la joie et l'intérêt. Rappelez-vous des évènements qui vous les ont fait ressentir. Choisissez-en une et provoquez-la. Sentez-vous bien. Dégustez.

Les êtres humains sont faits pour éprouver des émotions positives. Celles-ci leur permettent de grandir (devenir meilleurs, tirer des leçons, développer de nouvelles compétences, etc.), de vivre plus longtemps et d'être plus productifs. Vous serez aujourd'hui invité à ressentir trois des plus puissantes à pouvoir vous animer.

La joie est une émotion de plaisir, de bonheur intense ressenti par une personne dont une aspiration ou un désir est satisfait, ou en voie de l'être. L'amusement est la capacité à extirper de la vie ce qui en est plaisant. L'humour en est le meilleur exemple. L'intérêt, finalement, est une émotion attisé par la curiosité. Quand vous souhaitez absolument en savoir plus sur un sujet donné, vous ressentez de l'intérêt et, si vous êtes particulièrement sensible à cette émotion, vous perdez la notion du temps et vous pouvez vous plonger dans une activité pendant des heures.

De ces trois émotions, la joie est la plus difficile à provoquer parce qu'elle repose souvent sur la surprise. En fait, quand vous sentez-vous particulièrement joyeux ? Quand, enfin, vous constatez que quelque chose que vous attendiez ou espériez est sur le point de se réaliser. Il est donc bien plus facile de créer de la joie chez quelqu'un d'autre que chez soi-même.

Une belle occasion de créer de la joie se présente à vous si vous choisissez cette émotion aujourd'hui. Préparez une surprise à un être cher et il est fort probable qu'en voyant son air ravi, vous ressentirez vous-même la joie qui l'anime. Je donne raison à tous ceux qui affirment qu'il vaut souvent mieux donner que recevoir. Ils ont compris que la joie prend souvent naissance dans le regard des gens que nous comblons.

Si c'est davantage l'amusement ou l'intérêt que vous choisissez aujourd'hui, ceux-ci sont plus faciles à susciter. Vous savez déjà ce qui vous amuse. Dans certains cas, c'est vous tenir avec une personne que vous trouvez toujours drôle et qui vous fait rire. C'est regarder un film mettant en vedette un acteur hilarant ou un DVD de la série télévisée *Symphorien*. Dans ce cas, faites-le. C'est votre journée !

Vous savez également ce qui vous intéresse et vous plonge presque dans une transe quand vous vous y adonnez. Vous savez donc ce que vous devez faire si vous souhaitez ressentir de l'intérêt.

Voici donc une activité où une bonne ouverture à soi est essentielle. Si vous vous connaissez mal, vous aurez de la difficulté à provoquer ces émotions chez vous. Mais dès que vous aurez appris quels sont vos déclencheurs d'émotions positives, vous pourrez vivre des plaisirs intenses jour après jour. *Connais-toi toi-même,* disait Socrate.

4.10 Savourez!

Aujourd'hui, vous allez prendre le temps de savourer les bons moments que vous vivez au quotidien. Partagez-les, anticipez-les et comparez-vous avantageusement.

Aimez-vous l'ingratitude? Probablement pas. Pourtant, vous traversez probablement une partie de vos journées sans apprécier les bons moments. Les gens heureux, ceux qui ressentent chaque jour la vitalité nécessaire à l'atteinte de leurs objectifs, ont appris à apprécier et même à savourer chaque moment positif de leur vie.

Mais pourquoi savourer? Tout simplement parce que les recherches ont démontré que ceux qui savent savourer l'expérience quotidienne sont plus forts, apprécient davantage la vie, sont plus résilients et envisagent l'avenir avec plus d'optimisme.

Voici donc quelques trucs pour le faire aujourd'hui. Premièrement, partagez les moments agréables. Si vous vivez quelque chose de bon et que vous n'êtes pas seul, dites-le à l'autre : *C'est agréable d'être ici avec toi.* Fred Bryant, un chercheur en psychologie sociale connu internationalement, a en effet découvert que le fait de partager un moment agréable vous permet d'augmenter votre niveau de plaisir, ou de le revivre si vous racontez ce qui vous est arrivé de positif à quelqu'un par la suite. Partagez et savourez!

Deuxièmement, anticipez ce qui vous arrivera de bon prochainement. Visualisez les évènements positifs à venir sous peu. Ressentez à l'avance le plaisir que vous en retirerez. Par exemple, si vous prévoyez assister au spectacle de votre artiste préféré la semaine prochaine, commencez déjà à anticiper, à ressentir le plaisir qui sera vôtre à ce moment. Le plaisir n'a pas à être un moment fugace. On peut le prolonger en l'anticipant puis en le revivant.

Troisièmement, comparez-vous à tous ceux qui n'ont pas la chance de vivre ce que vous vivez. Car, avouons-le, vous êtes béni des dieux. Vous vivez dans un pays sans conflits armés ou religieux et d'une enviable prospérité. Vous êtes en meilleure santé que bien des gens. Vous jouissez d'un niveau de vie que la moitié de la population mondiale vous envie. Pourquoi ne pas prendre conscience de tous ces bienfaits et les savourer pleinement?

Finalement, pour activer votre fierté, n'oubliez pas, tout au long de la journée, de vous féliciter pour tout ce que vous accomplissez sans trop de difficulté, pour la simple et bonne raison que vous y excellez. Vous avez tendance à ne pas porter d'attention à ces gestes parce que vous les trouvez faciles. Mais s'ils sont si faciles, c'est justement parce que vous les maîtrisez à la perfection. Savourez donc votre maestria aujourd'hui et soyez fier des compétences que vous avez développées.

En résumé, vous utiliserez la présente journée pour savourer ce que vous vivez et ce que vous êtes, et en profiter. Aujourd'hui, c'est votre fête. Vous êtes vivant et vous en prendrez conscience. Sinon, à quoi bon respirer?

4.11   Un peu de gratitude, tout de même!

AVERTISSEMENT

Le fait de devoir faire ce qui suit ne vous libère pas des obligations que vous avez prises envers vous-même pour la journée. n'oubliez pas de faire avancer un de vos projets aujourd'hui.

Aujourd'hui, vous allez prendre conscience de tout ce que vous avez et vous allez ressentir de la gratitude à cet égard. Vous ne vous sentirez pas envieux. Vous ne vous désespérerez pas de ne pas avoir encore réalisé tous vos projets. Vous allez faire la liste de tout ce que vous avez et que vous ne voudriez pas perdre. Ensuite, ressentez de la gratitude en constatant que la vie vous a choyé.

La gratitude, c'est éprouver de la reconnaissance pour tout ce que la vie vous offre. C'est la capacité de porter un regard inclusif sur ce que vous possédez plutôt que de vous concentrer sur ce qui vous manque. C'est un sentiment de profonde satisfaction pour ce que le destin vous a octroyé et pour tout ce vous avez réalisé à ce jour.

Il est tellement facile de tenir pour acquis ce qu'on possède déjà. Rappelez-vous, par exemple, comment vous vous sentez quand vous guérissez d'une vilaine grippe. Vous vous sentez tellement bien! Vous remerciez la vie pour ce qu'elle vous offre. Vous êtes reconnaissant mais, trois jours plus tard, vous avez déjà oublié d'apprécier que vous êtes en santé! Aujourd'hui, vous allez célébrer tout ce que vous possédez.

Commencez par faire la liste de tout ce que vous tenez pour acquis mais que vous ne souhaiteriez pas perdre. Votre santé? Votre emploi? Les gens qui vous entourent et qui vous apprécient? Le baiser de votre amoureux le matin? La confiance de votre patron? Qu'est-ce qui s'avérerait une tragédie si vous le perdiez demain? Dressez cette liste et prenez du recul. Le temps est à la gratitude.

Avouez que vous êtes chanceux de pouvoir compter sur tout cela. Avouez que vous êtes privilégié. La moitié de la population mondiale ne jouit pas de tout ce que vous considérez comme acquis. Il est temps que vous le réalisiez.

Remarquez que le fait d'être reconnaissant de tout ce que vous possédez n'implique pas de cesser de rêver à plus, d'aspirer à davantage. Il est normal de souhaiter améliorer sa vie. Vous méritez plus! Mais le fait d'apprécier ce que vous possédez déjà vous rend plus susceptible d'obtenir davantage. Cela vient faire grandir votre sentiment de valeur personnelle. Cela vous dit que si vous avez pu accéder à certains avantages dans le passé, c'est que vous serez en mesure de continuer à le faire à l'avenir. Cela suppose une continuité dans la poursuite de vos succès.

L'ingratitude vous condamne à la stagnation. Les gens incapables d'apprécier ce qu'ils possèdent déjà ont tendance à concentrer leur attention sur les signes d'injustice et sur tout ce qui leur permet de justifier qu'ils vivent en-deçà de leur potentiel. Vous n'êtes pas du genre à justifier vos insuccès. Vous êtes du genre à aspirer à davantage. La gratitude va de pair avec cette énergie.

4.12 La liste de vos accomplissements

AVERTISSEMENT

Le fait de devoir faire ce qui suit ne vous libère pas des obligations que vous avez prises envers vous-même pour la journée. N'oubliez pas de faire avancer un de vos projets aujourd'hui. De plus, si vous avez déjà dressé la liste de vos accomplissements, profitez de la journée pour la bonifier.

Aujourd'hui, que ce soit sur papier ou sur fichiers informatiques, dressez la liste de tous les accomplissements dont vous êtes fier. Ne lésinez pas sur le nombre. Quelles sont vos plus belles réalisations? De quoi pourriez-vous être fier si vous étiez appelé à vous vanter? Ne vous contentez pas de quelques réponses seulement. Présentez en long et en large pourquoi vous méritez d'être admiré.

Il y a des jours où l'énergie est au plus bas, des jours où on ne pense pas mériter tout ce à quoi on aspire. Ces moments surviennent souvent après un échec ou après avoir reçu des reproches, que ceux-ci aient été mérités ou pas. Cela vous est-il déjà arrivé? Probablement et je parie que, cette journée-là, vous aviez le moral à zéro. Vous vous demandiez si continuer en valait la peine. Si vous méritiez d'aller plus loin. Votre estime personnelle frisait le zéro absolu.

Un des meilleurs outils pour faire face à ces moments reste la liste de vos accomplissements. Il s'agit d'une liste de toutes vos réalisations, vos sources de fierté. Vous devriez en avoir une à consulter chaque fois que le doute naît en vous. À ce moment, une simple lecture vous rappellerait que vous êtes un être exceptionnel, que vous méritez d'être admiré. Aujourd'hui, vous allez confectionner cette liste.

Fouillez votre passé. Rappelez-vous vos accomplissements. À quel moment avez-vous fait une différence ? À quel moment votre intervention a-t-elle concouru au bien commun ? Quels sont les épisodes de votre vie pour lesquels vous devriez être admiré ?

Cette liste, une fois rédigée, devrait être imprimée en plusieurs copies. Gardez-en une à la maison, une au travail, une sur votre ordinateur et confiez-en une copie à une personne que vous appréciez particulièrement. Elle vous servira de nombreuses façons.

Quand vous douterez de votre capacité d'aller de l'avant à propos d'un projet, jetez un coup d'œil à votre liste et rappelez-vous tous les obstacles que vous avez surmontés à ce jour. Si vous avez été à la hauteur par le passé, pourquoi ne le seriez-vous pas aujourd'hui ?

Après une altercation où vos compétences ou votre bonne volonté sont remises en question, retrouvez votre assurance en relisant vos réalisations et vos succès. Cela vous permettra de chasser le doute que votre vis-à-vis a semé en vous. Vous valez beaucoup et, si vous êtes particulièrement sonné, appelez cette personne à qui vous avez confié votre liste et, après lui avoir dit ce qui vient de vous arriver, demandez-lui pourquoi vous devriez de nouveau vous sentir fier d'être qui vous êtes. Si l'autre joue le jeu, vous sentirez rapidement que vous bombez le torse et que le doute s'est envolé.

Vous vous croyez trop supérieur pour avoir recours à cet outil? Sachez que même les meilleurs peuvent être ébranlés lors d'attaques en règle. Lors de mon divorce, par exemple, il me faisait du bien de me rappeler tous mes bons coups pendant que l'avocate de la partie adverse déblatérait sur mon compte et racontait que j'étais le dernier des derniers.

Chapitre 5

MIEUX-ÊTRE ET DÉVELOPPEMENT PERSONNEL

À l'origine de toute connaissance,
nous retrouvons la curiosité.
Elle est une condition essentielle du progrès.

– ALEXANDRA DAVID-NÉEL

Ah! la curiosité! Et dire que votre mère vous disait que c'est un vilain défaut. Eh bien rassurez-vous : il n'en est rien. Au contraire, la curiosité vous permet d'affronter le monde avec la faim ou la soif qui vous permettront d'en tirer le meilleur, de boire le vin jusqu'à la lie. Cette curiosité devrait éveiller votre intérêt pour ce que le monde recèle, pour ce que la vie a de mieux à vous offrir. Combien de gens passent à côté de ce qui se trouve tout près d'eux. Ils meurent de soif près de la légendaire fontaine !

Remarquez que pour offrir tout ce qu'elle vous réserve, la curiosité doit être tournée dans deux directions. Il y a tout d'abord la curiosité tournée vers votre environnement. Celle-ci vous permet de capter, dans tout ce qui vous entoure, ce qui vous fait vibrer et qui pourrait venir donner un sens à votre vie en vous inspirant un nouveau tournant, une nouvelle mission. Ce premier type de curiosité doit être entretenu parce que c'est grâce à lui que vous arriverez à soutenir, sur une base continue, un plaisir eudémonique durable. Tant que vous ne vous serez pas découvert des champs d'intérêt qui correspondent à ce que vous êtes véritablement, vous n'arriverez pas à vivre cet état de passion où vous perdez la notion du temps tellement vous êtes concentré, tellement vous avez du plaisir.

Vient ensuite la curiosité tournée vers soi, vers son essence, vers ce qu'on est réellement. Si vous n'explorez pas qui vous êtes, vous n'arriverez jamais à trouver les voies d'amélioration qui vous permettront d'offrir le meilleur de vous-même, de devenir ce que vous êtes actuellement, mais à l'état embryonnaire. Vous n'arriverez pas à vous métamorphoser en la personne que vous êtes vraiment.

Les douze activités qui suivent vous aideront dans un premier temps à aiguiser votre curiosité, tant vers vous-même que vers l'extérieur. Ensuite, vous serez invité à évaluer quelles avenues s'offrent à vous si vous souhaitez grandir. Vous serez appelé à investir en vous.

Investir. Combien de médias vous encouragent à le faire ? On vous dit d'économiser une partie de votre revenu et de l'investir pour le jour de votre retraite. On vous encourage également à économiser une autre partie de ce que vous gagnez en vue de vous constituer un coussin en cas d'imprévus. On vous encourage continuellement à investir, mais vous encourage-t-on un instant à investir en vous ?

Pourtant, tant que vous ne le ferez pas, vous demeurerez un gisement inexploité. Vous n'êtes que l'ombre de ce que vous pourriez devenir. Vous ne fonctionnez qu'à une fraction du rendement optimal que vous pourriez atteindre. En investissant en vous, vous risquez de révéler ou de réveiller ce que vous recelez de meilleur. Quelques activités vous permettront également d'y parvenir. Alors, qu'attendez-vous ? Lancez les dés ou rendez-vous à *www.jemeriteplus.com* et changez votre vie !

5.1   Devenez médecin. C'est bon pour vous...

AVERTISSEMENT

Le fait de devoir faire ce qui suit ne vous libère pas des obligations que vous avez prises envers vous-même pour la journée. N'oubliez pas de faire avancer un de vos projets aujourd'hui.

Il est possible, lorsque vous jetez un coup d'œil à vos projets, que vous réalisiez que certaines étapes exigeront de votre part le développement de nouvelles compétences. Identifiez aujourd'hui ces compétences et trouvez comment vous pourrez les développer. Ensuite, agissez en conséquence.

Nous sommes tous des êtres en devenir. Ce n'est pas parce que vous ne possédez pas actuellement certaines compétences que vous ne pouvez pas aspirer à relever les défis que vous pensez être vôtres. Il vous suffit de les développer. Et il n'est jamais trop tard pour ce faire.

Si vous savez que vous ne serez pas à la hauteur sur un point particulier, demandez-vous ce qu'il vous faudrait pour y arriver. Si cela ne vous est pas clair, consultez une personne en mesure de vous éclairer. Vous ne vous laisserez pas arrêter par un élément inconnu, n'est-ce pas ? D'autant que, si vous n'avez pas envie de développer de nouvelles compétences, vous avez encore la possibilité de recruter un ami qui les possède et qui saura vous aider à aller de l'avant.

La réalisation des objectifs ressemble un peu à de la médecine. Pour régler un bobo, il faut d'abord partir en quête des symptômes. Une fois la liste de ceux-ci dressée, le praticien peut poser un diagnostic et prescrire un traitement. Il en va de même pour votre projet. Quels sont les symptômes qui pourraient donner l'impression que celui-ci est irréalisable? Quel diagnostic pouvez-vous poser? Quel traitement serait opportun pour vous débarrasser de ce qui vous empêche de relever ce défi en ce moment?

Il n'y pas d'âge pour grandir, pour développer de nouvelles compétences ou pour acquérir de nouvelles connaissances. Il suffit d'identifier nos faiblesses et d'y remédier. Ce n'est pas une tare rédhibitoire de se découvrir un projet d'apprentissage. Cela ne nous disqualifie pas. C'est, au contraire, un projet libérateur parce qu'il nous fait déjà sentir que, très bientôt, nous serons à la hauteur de nos aspirations.

Quel sera le médicament que vous choisirez? Un livre? Un cours en ligne? Un cours dispensé par une maison d'enseignement? Un peu de coaching? Un séminaire? Vous n'êtes pas nécessairement obligé de retourner sur les bancs d'école pour acquérir le savoir qu'il vous manque. Partez dès aujourd'hui en quête des outils qui vous aideront à relever votre défi. Identifiez les compétences ou les connaissances qui vous font défaut, puis identifiez où vous pourriez trouver ce précieux savoir. Ensuite, faites les démarches nécessaires pour y arriver.

Ne vous avouez jamais vaincu parce qu'il vous manque telle ou telle compétence. Dans votre marche vers la victoire, ce n'est qu'un autre défi à relever. Le simple fait de le réaliser vous place devant tous ces gens qui ne se remettent jamais en question. Cela vous rend plus grand. Cela vous rapproche du succès.

5.2   Lisez une biographie

AVERTISSEMENT

Le fait de devoir faire ce qui suit ne vous libère pas des obligations que vous avez prises envers vous-même pour la journée. N'oubliez pas de faire avancer un de vos projets aujourd'hui.

Aujourd'hui, trouvez la biographie d'une personne que vous admirez. Commencez à la lire et découvrez son cheminement de vie avant de devenir cette personne qui vous inspire. Réalisez que ce n'est pas un surhomme ou une superfemme. C'est une personne ordinaire qui a décidé de réaliser des choses extraordinaires. Vous pouvez faire de même.

Parlons d'émulation. Le dictionnaire nous dit qu'il s'agit d'un sentiment qui porte à imiter, à égaler, à surpasser quelqu'un. C'est un moment d'élévation qui vous fait réaliser que quelque chose de mieux est possible et que nous pourrions choisir d'emprunter la même voie. C'est ce que j'ai ressenti quand, en 2004, j'ai suivi un séminaire fantastique avec Martin Seligman, le fondateur du mouvement de la psychologie positive. C'est à ce moment-là que j'ai décidé que je pouvais avoir un impact positif sur la vie des gens.

Si vous n'admirez personne, je trouve que c'est triste pour vous. Passez donc sur la page Facebook associée au site *www.jemeriteplus.com,* d'autres lecteurs vous feront sûrement part de leurs trouvailles. Nul n'est une île, et je vous invite également à y partager les lectures qui vous ont fait vibrer.

Remarquez que, lorsque je vous suggère de lire une biographie, je ne sous-entend pas nécessairement un livre. Il existe des DVD et des sites Web qui vous permettront de découvrir qui ont été ou qui sont les gens que vous admirez. Cet exercice vous rapportera sur plusieurs plans.

Premièrement, vous réaliserez que ces personnes qui se sont surpassées ne sont pas des superhéros. Ce sont des gens normaux, avec des forces et des faiblesses. Mais ils se sont donné des objectifs auxquels ils croyaient. Vous faites présentement la même chose avec vos projets.

Deuxièmement, vous apprendrez qu'ils n'ont pas réussi du premier coup. Certains ont même connu la maladie ou plusieurs faillites avant de se hisser au sommet. Cela devrait vous amener à penser que si eux ont surmonté des situations qui ressemblent actuellement à la vôtre, vous devriez en être capable aussi.

Troisièmement, vous apprendrez de leurs bons coups et de leurs erreurs. Ces lectures ne sont pas vaines. Elles vous donneront des idées susceptibles d'améliorer vos chances de succès dans les défis que vous vous êtes donnés. Elles vous permettront également de mettre vos échecs en contexte et de vous relancer dans l'action au lieu de vous frapper la poitrine en vous disant que vous avez échoué.

Quatrièmement, vous réaliserez que quelque chose de grand les inspirait. Ils n'étaient pas uniquement là pour combler leurs propres besoins. Ils souhaitaient changer le monde.

Apprenez des gens que vous tenez en haute estime. Vous réaliserez rapidement que vous pouvez aspirer à joindre leurs rangs. Ils ne sont pas des magiciens. Aucune fée spéciale n'a veillé sur eux. Ils se sont simplement pris en main.

5.3   En toute amitié

Aujourd'hui, planifiez une activité avec un ami. Appelez-le et convenez d'un moment où vous serez tous deux libres. Déterminez ensuite ce que vous ferez ensemble. N'oubliez pas d'inscrire le rendez-vous à votre agenda.

Au fil des siècles, de nombreuses personnes se sont demandé ce qui rend les humains heureux. Le fait de pouvoir compter sur un solide réseau d'amis fait partie des facteurs identifiés. Mais il y a plus. Les amis auraient également un impact positif sur l'optimisme (on a moins peur de ce qui pourrait nous arriver quand on sait qu'on peut compter sur des amis), sur l'espérance de vie et sur la santé.

Pourquoi alors s'en prive-t-on aussi aisément ? Il est facile, en fait, de se laisser emporter par le tourbillon du travail et de s'isoler peu à peu. Avec le temps, on oublie les amis ou on finit par se dire qu'on risque de déranger en les appelant. Combien de relations amicales avez-vous ainsi laissé s'effriter au fil des ans ?

Aujourd'hui, contactez un ami que vous n'avez pas revu depuis un certain temps. Prenez de ses nouvelles et donnez-lui-en, puis suggérez de vous revoir pour faire le point sur ce qui se passe et ce qui s'est passé dans vos vies respectives.

Et n'attendez pas que les dés vous redonnent les chiffres 5 et 3 pour remettre ça. Gardez le contact avec les gens qui vous sont chers. Voyez-les sur une base régulière. Intéressez-vous à leur vie et racontez ce qui se passe dans la vôtre. Le simple fait de raconter ce qui vous arrive vous force à mettre de l'ordre dans vos pensées. Le seul jeu des questions et réponses entre vous deux vous amène à expliquer certaines de vos actions et décisions et à découvrir ce qui se passe en vous et les erreurs parfois énormes que vous vous entêtez à répéter parce que vous ne prenez pas le temps de vous arrêter et de réfléchir.

Un ami vous offre cette belle opportunité de réaliser ce qui vous anime et les schémas que vous répétez sans le savoir. En contrepartie, il vous revient de lui offrir la réciproque. Intéressez-vous à ce qu'il dit. Posez des questions quand vous ne comprenez pas et amenez-le à vous dévoiler ses motivations et ses projets d'avenir. Sans imposer votre point de vue, conseillez-le quand l'occasion se présente.

Trouvez-vous des points en commun. Contribuez à la réalisation des projets de l'autre. Soyez là, tant lors des moments difficiles que lors des célébrations. Soyez un bon confident. Développez une solide complicité.

Construisez de telles relations avec quelques personnes et sentez votre confiance en l'avenir grandir. Il y a beaucoup moins de raisons d'entrevoir le futur avec anxiété quand nous sommes entourés d'un solide réseau prêt à nous soutenir si une tempête traverse notre vie.

5.4 Une visite au musée

AVERTISSEMENT

Le fait de devoir faire ce qui suit ne vous libère pas des obligations que vous avez prises envers vous-même pour la journée. N'oubliez pas de faire avancer un de vos projets aujourd'hui.

Aujourd'hui, consultez le cahier culturel de votre quotidien préféré. Ensuite, planifiez ou faites une sortie culturelle qui vous sort des sentiers battus, quelque chose que vous ne faites pas normalement. Abordez l'évènement avec curiosité. Immergez-vous. Prenez votre temps. Si c'est possible, faites-le avec un ami et prenez le temps d'en discuter par la suite.

Nous sommes trop souvent des êtres d'habitudes. Nous écoutons les mêmes artistes. Nous assistons aux mêmes évènements. Nous regardons les mêmes émissions et nous consultons généralement les mêmes sites Web chaque jour. Les habitudes nous réconfortent et nous permettent de fonctionner machinalement, sur le pilote automatique.

Mais pendant que nous sommes sur le pilote automatique, nous nous encroûtons lentement, nous passons à côté d'une foule d'activités qui pourraient bonifier notre vie et notre mieux-être. Nous passons à côté de choses qui pourraient fort bien devenir des passions pour nous. Mais tant que nous resterons stagnants, ces passions resteront latentes.

Je vous demande aujourd'hui de vous ouvrir à quelque chose de nouveau. Qu'y a-t-il à voir au musée cette semaine? Une exposition sur Rome? Sur un peintre impressionniste? Sur l'architecture? Qu'allez-vous choisir? Je vous demande de ne pas y aller avec un choix connu. Faites-vous une surprise.

Remarquez que le titre de cette activité est quelque peu trompeur. Si vous êtes un habitué des musées, c'est vers autre chose que vous devez vous tourner. Un spectacle de danse? Flamenco, danse moderne, ballet? Une pièce de théâtre? Le tour de chant d'un artiste que vous ne connaissez pas? Un style musical auquel vous n'avez jamais été initié? Blues, Fado, Slam? Ouvrez vos horizons. Faites des découvertes.

Tôt ou tard, à force de refaire cette activité, votre vision du monde s'élargira. D'une poignée de repères, vous passerez à une multitude. Votre capacité à accepter les autres et leurs particularités s'en trouvera bonifiée. Vous réaliserez les avantages de vivre dans un monde aussi diversifié que le nôtre.

Mais, plus encore, vous risquez de voir émerger des passions dont vous ne soupçonniez pas encore l'existence. À ce moment, votre vie prendra un tournant décisif. Vous vous serez trouvé une raison d'être, quelque chose à votre mesure. Cette passion devrait donner naissance à une foule de projets qui vous combleront, qui donneront un sens à votre vie.

À ce moment, vous jetterez un regard triste sur tous ceux qui, autour de vous, se baladent encore comme des zombies. Ceux qui traversent la vie sans passion, en faisant les choses *parce qu'ils faut bien les faire,* en se rendant travailler *parce qu'il faut bien payer le loyer* et qui restent dans un couple dysfonctionnel *parce que c'est quand même mieux que d'être seul.*

Rendez-vous service. Offrez-vous des découvertes. Trouvez-vous des passions. Le mieux-être ne se contente pas de la routine et de la banalité.

5.5   Une lecture édifiante tous les matins

AVERTISSEMENT

Le fait de devoir faire ce qui suit ne vous libère pas des obligations que vous avez prises envers vous-même pour la journée. N'oubliez pas de faire avancer un de vos projets aujourd'hui.

Aujourd'hui, rendez-vous dans une librairie (virtuelle ou ayant pignon sur rue) ou une bibliothèque et choisissez quel sera votre prochaine lecture quotidienne.

Savez-vous ce qui différencie un professionnel d'un amateur? Les professionnels, pour pouvoir conserver leur agrément, se doivent d'investir un certain nombres d'heures par année dans le maintien et le développement de leur savoir. Le conseiller financier qui déciderait, par exemple, qu'il n'a plus besoin d'apprendre parce qu'il est diplômé perdrait son titre professionnel assez rapidement. La formation continue n'est pas optionnelle pour les professionnels. Elle est obligatoire.

Il en va de même dans la vie. Êtes-vous un être professionnel ou un simple amateur? Avez-vous cessé d'apprendre? Tenez-vous votre mieux-être pour acquis ou restez-vous curieux face à tous les moyens à votre disposition pour l'améliorer? Pour augmenter votre bien-être sur une base continue, vous devez investir sur vous-même.

Vous devez continuer d'apprendre et de tester des moyens de bonifier votre expérience quotidienne.

La lecture constitue un bon moyen d'y arriver. Elle vous permet de vous isoler mentalement chaque matin et d'explorer un thème de votre choix, un thème correspondant à vos préoccupations du moment. Avec le temps, vingt minutes de lecture par jour peuvent changer votre vie.

Et ce n'est pas une question de budget. En vous abonnant à votre bibliothèque municipale, vous aurez gratuitement accès à un nombre important de livres tout au long de l'année. Il suffit de vous abonner et de développer cette saine discipline : vingt minutes par jour.

Si vous êtes membre de *www.jemeriteplus.com*, je vous invite à consulter la page Facebook associée au site. Il est fort possible que des suggestions de lecture en provenance d'autres abonnés y soient affichées. Profitez-en pour partager vos coups de cœur !

Alors, aujourd'hui, choisissez votre prochaine lecture. Qu'est-ce que ce sera ? Un livre sur la résilience ? Sur l'estime de soi ? Sur la vente ou le marketing dans Internet ? Sur la psychologie homme-femme ? Il existe tant de connaissances, facilement accessibles, à qui souhaite s'en donner la peine.

Ensuite, choisissez quel moment de la journée sera le plus propice. Pour beaucoup de gens, c'est le matin, mais plusieurs m'ont dit préférer lire le soir ou sur l'heure du lunch, pendant leur pause. Lancez-vous dans la lecture une vingtaine de minutes puis refermez le livre et repassez l'information que vous venez d'absorber. Demandez-vous comment elle peut s'appliquer à votre vie, quelles avenues potentielles elle vous ouvre et ce que vous devriez explorer comme prochaines lectures. Chaque lecture pave la voie à la prochaine. Et chaque nouvelle connaissance élargit votre champ de conscience.

Investissez sur vous-même. Devenez un professionnel de la vie. Vous n'avez pas à la traverser en dilettante. Continuez à apprendre et devenez tout ce que vous pouvez être.

5.6 Une formation-éclair sur les gens toxiques

AVERTISSEMENT

Le fait de devoir faire ce qui suit ne vous libère pas des obligations que vous avez prises envers vous-même pour la journée. N'oubliez pas de faire avancer un de vos projets aujourd'hui.

Aujourd'hui, partez à la recherche des gens toxiques qui vous entourent et qui nuisent à votre avancement personnel. Renseignez-vous sur le sujet. Prenez conscience de l'impact des gens toxiques autour de vous qui nuisent à votre épanouissement. Ensuite, agissez en conséquence.

En apparence, Annie était heureuse. Mais elle aurait dû l'être davantage. Son problème? Les gens autour d'elle n'arrêtaient pas de la diminuer, de torpiller son estime de soi. «Annie, tu as toujours manqué de réalisme. Reviens sur terre!», «Ton projet ne marchera jamais. Trouves-toi un emploi!» ou «Comment pourras-tu t'en sortir? Tu es juste une femme», «Tu n'obtiendras jamais le prêt dont tu as besoin pour te lancer en affaires». Au bout du compte, elle n'a pas suivi son rêve. Elle a plié l'échine et elle est rentrée dans le rang. Le Québec devra maintenant se passer de ce qui aurait pu être une entrepreneure fantastique.

Y a-t-il des gens autour de vous qui éteignent votre feu intérieur, qui vous poussent à réduire vos attentes face à la vie et qui préféreraient que vous restiez là où vous êtes, au lieu de devenir la personne que vous êtes vraiment ?

Dans l'affirmative, vous êtes piégé. Ces personnes vous maintiennent dans le statu quo ; ces personnes entretiennent la peur et les doutes qui vous figent ; elles vous encouragent à vous flétrir au lieu de fleurir et développer tout votre potentiel.

Comment en venir à bout ? Dans un premier temps, si vous êtes en mesure de les identifier, deux options s'offrent à vous :

❑ *Apprendre à les confronter.* La majorité de ces personnes modifieront leurs comportements si vous vous rebiffez en exigeant plus de respect face à vos choix.

❑ *Vous en éloigner.* Vous ne pourrez pas ramener tous les gens toxiques dans le droit chemin. Il y en a certains dont vous devrez vous éloigner pour réduire leur influence négative.

Si vous vous sentez incapable d'adopter l'une de ces deux options, vous pouvez soit consulter un professionnel, soit vous offrir un cours rapide en matière de relations toxiques. Passez à la librairie ou à la bibliothèque et trouvez un bon ouvrage sur le sujet. Lisez-le cette semaine et décidez si vous prendrez vos distances ou si vous aurez une discussion face à face avec ces bouffeurs de rêves.

Ne faites pas comme Annie. Vous n'avez pas à supporter les gens qui tentent de vous décourager. Ce sont souvent des envieux qui aimeraient avoir le courage de faire comme vous. Ce qui ne veut pas dire de négliger les avertissements des gens bien intentionnés. Cela signifie seulement de faire savoir aux gens toxiques que vous n'avez pas besoin de vous faire continuellement dire que vos projets n'ont pas d'avenir. Les gens qui s'entêtent à vous le dire n'ont aucune idée de votre potentiel. Pourquoi les écouteriez-vous?

5.7   Une leçon sur l'intégrité

AVERTISSEMENT

Le fait de devoir faire ce qui suit ne vous libère pas des obligations que vous avez prises envers vous-même pour la journée. N'oubliez pas de faire avancer un de vos projets aujourd'hui.

Aujourd'hui, faites une réflexion sur votre emploi du temps. Dans quoi vous investissez-vous le plus? Ces pratiques sont-elles alignées sur vos valeurs? Dans le cas contraire, posez les gestes nécessaires afin d'être en paix avec vous-même.

Notre thème de la journée sera l'intégrité, c'est-à-dire la capacité de rester fidèle à ses valeurs sans égard aux pressions extérieures. Être intègre, c'est être conscient de nos valeurs et ne pas les laisser fluctuer quand cela nous arrange, au fil des situations. Ce qui nous ramène à l'une des conditions essentielles du succès.

Le succès doit être volontaire. Par cela, on entend qu'il doit être conscient et reposer sur les bases de la personne qu'on est réellement. Ainsi, si vous rêvez de devenir riche et que vous réalisez votre objectif en détournant des fonds ou en volant des clients, et que ces pratiques allaient à l'encontre de vos valeurs, votre objectif aura été atteint, mais les chances qu'il vous laisse satisfait seront très minces. Vous aurez manqué d'intégrité. Vous aurez cessé d'être vous-même dans le seul but de pouvoir crier victoire. Mais vous ne vous sentirez pas victorieux pour autant... Vous aurez manqué à votre devoir de fidélité envers vos valeurs.

Or, le mieux-être ne s'accommode pas d'infractions à votre code d'honneur. Si vous souhaitez que vos victoires vous laissent avec un doux sentiment de succès, vous devrez les obtenir en respectant ce que vous êtes en votre for intérieur.

Reprenez donc aujourd'hui la liste de vos projets et relisez les étapes que vous devrez franchir pour faire un succès de chacun d'eux. Vos stratégies sont-elles en phase avec vos valeurs? Risquez-vous, si vous suivez vos stratégies actuelles, de réussir mais de ne pas ressentir le doux sentiment qui accompagne la satisfaction d'avoir vraiment réussi?

Dans ce cas, revoyez votre échéancier. Trouvez d'autres moyens d'arriver à vos fins sans y laisser votre âme. Il se peut que ce soit plus long de procéder différemment, mais, si vous le faites, le succès vous laissera une fierté bien plus grande. Vous aurez l'impression de vraiment mériter ce qui vous arrive. Vous vous sentirez en paix et comblé.

L'intégrité, c'est également la capacité à ne pas privilégier un domaine de votre vie au détriment des autres. Il est bien entendu que vos objectifs de carrière occupent une place prépondérante dans vos pensées, mais ne perdez pas de vue vos objectifs amoureux et familiaux, votre implication dans votre communauté, votre mieux-être et votre santé. Il ne faut pas vous oublier dans la conquête de ce qui vous anime.

Restez fidèle à ce que vous êtes. Ne sacrifiez pas un aspect de votre personnalité pour la seule réalisation d'un objectif à court terme. Vous valez plus que cela. Faites preuve de créativité et trouvez des moyens qui sont à l'image de vos valeurs.

5.8   Jetez du lest

Aujourd'hui, vous allez faire un peu de ménage dans les émotions que vous ressentez face à votre passé. Trouvez un événement qui vous a blessé ou déplu et que vous traînez encore. Ensuite, pardonnez à votre agresseur, décidez de lâcher prise et choisissez de passer à autre chose. Bref, débarrassez-vous de ce frein à votre accomplissement.

À l'adolescence, j'ai été poursuivi par un pédophile qui m'offrait de l'argent en échange de faveurs sexuelles. J'ai toujours refusé mais, pendant des mois, je me suis senti assailli. Une fois adulte, pendant des années, j'ai entretenu le fantasme que si jamais je le croisais en voiture au coin d'une rue, je lui foncerais dessus. Maudit que ça m'aurait fait du bien! Mais ce geste m'aurait foutu dans un sale pétrin!

J'ai fini par comprendre que je devais laisser aller ces émotions négatives et que les ressasser me ralentissait dans ma propre vie. Je l'ai fait et je ne m'en porte que mieux aujourd'hui.

C'était le bon choix à faire. En effet, les recherches prouvent que le fait de pardonner ou de décider de lâcher prise (Je n'ai pas pardonné. Pas du tout en fait. Mais j'ai effectivement fini par lâcher prise.) face à un évènement antérieur améliore à la fois la santé physique et la santé psychologique. On ne peut pas traîner un boulet émotionnel sans que cela n'affecte notre mieux-être. Ce faisant, c'est comme si on ramait tout en restant attaché au quai. Cela ne nous mène nulle part.

Je vous demande aujourd'hui d'identifier un des évènements qui vous retiennent prisonnier du passé. Contre qui nourrissez-vous de la rancœur? À qui en voulez-vous encore aujourd'hui? Y a-t-il un évènement passé dont le souvenir vous maintient dans la culpabilité ou la honte? S'il vous en vient un en mémoire, vous pouvez continuer l'activité du jour. Sinon, vous êtes en congé aujourd'hui.

Remémorez-vous maintenant l'évènement tel qu'il s'est réellement passé. Que gagnez-vous en entretenant ces sentiments négatifs? Ne vaudrait-il pas mieux faire la paix avec le passé et vous tourner dorénavant vers l'avenir? Ne serait-il pas temps de chasser ces pensées négatives alors que tant de bonnes choses vous attendent?

D'accord, on vous a fait mal. D'accord, on a mis un frein à votre accomplissement. Mais n'est-ce pas le lot d'un peu tout le monde? Chacun a des raisons d'en vouloir à quelqu'un pour un évènement du passé. Chacun peut se figer dans le temps en se concentrant sur le ressentiment et le sentiment d'injustice, mais, ce faisant, de quoi vous privez-vous?

De quiétude? De votre pouvoir de vous tourner vers l'avenir? Du plaisir d'apprécier le moment présent? Aujourd'hui, jetez du lest. Votre avenir est plus rose que votre passé... en autant que vous soyez en mesure de lâcher prise sur celui-ci.

5.9 Sus à l'autosabotage !

Aujourd'hui, vous allez être à l'affût des pensées négatives que vous entretenez et qui minent vos chances de succès. Vous allez les identifier, vous allez les éliminer et, en fin de journée, vous déclarerez que vous les avez vaincues.

Il faut bien l'avouer, il y a des fois où votre plus grand ennemi, c'est vous-même. C'est comme si votre mieux-être ne vous tenait pas à cœur. C'est comme si vous aviez besoin de saboter vos moindres chances de succès. Pourquoi ? Les raisons possibles dépassent le cadre de ce livre. Contentons-nous, aujourd'hui, d'identifier les trois principaux types de pensées susceptibles de torpiller vos tentatives de succès.

Si vous vous surprenez à douter de la faisabilité d'un projet, ressaisissez-vous. Dans les période de découragement ou de laisser-aller, il peut être tentant de réviser ses projets à la baisse en se disant qu'on a visé trop haut, qu'on a établi un échéancier irréaliste ou qu'il aurait mieux valu choisir des projets plus modestes.

Or, vous n'atteindrez jamais des objectifs plus élevés que ceux que vous vous fixez. En les révisant à la baisse, c'est votre succès futur que vous bradez. Ne vous sous-estimez pas et ne sous-estimez pas vos capacités.

Si vous vous surprenez à craindre le succès, ressaisissez-vous. La peur du succès est bien plus fréquente que vous pourriez le penser. Elle s'exprime de plusieurs manières : si j'obtiens cette promotion, mes collègues ne me parleront plus. Si j'obtiens ce diplôme, mes amis m'éviteront. Si...

Remplacez cette crainte par une hâte. Quand une porte se ferme quelque part, il y en a une autre qui s'ouvre ailleurs. Il est bien entendu que le succès changera des choses dans votre vie, mais ce sera pour le mieux. N'ayez crainte.

Un parent vous a-t-il déjà dit que vous ne feriez jamais rien de bon de votre vie ? *Si vous vous surprenez à douter de vos chances de réussite, ressaisissez-vous.* Dès que vous vous donnez la peine de travailler à la pleine réalisation de votre vie, vous la méritez. Elle est le fruit de vos actions et non pas d'une quelconque puissance obscure sur laquelle vous n'avez pas de prise.

N'allez donc pas douter de ce que vous valez ou de vos capacités. C'est votre partie. Vous êtes un être unique au monde et vous avez parfaitement le droit de vous attendre à un destin tout aussi unique. Lancez-vous. Enfoncez les portes. Aspirez à mieux. Et dites-vous régulièrement que vous méritez tout cela.

Il y a bien assez d'obstacles qui se dressent entre vous et la réalisation de vos rêves, vous n'avez pas à en devenir un vous-même. Ne craignez pas les projets trop ambitieux. Anticipez positivement le succès et dites-vous que vous méritez de réussir. Votre mieux-être en dépend.

5.10 Les compétences, ça se développe!

AVERTISSEMENT

Si vous n'avez entrepris aucun projet à ce jour ou que vous n'avez pas encore connu de difficultés, relancez les dés.

Voilà maintenant un certain temps que vous travaillez à la réalisation de un ou plusieurs projets. Il est certain que, chemin faisant, vous vous êtes trouvé des faiblesses. Identifiez aujourd'hui quelles compétences ou quelles connaissances vous manquent le plus et posez les actions nécessaires afin de les acquérir.

Vous n'êtes pas un super-héros, mais ne vous en faites pas : personne n'en est un. Il n'y a qu'une seule façon de devenir un être humain plus fort. C'est par essais et erreurs. Vous posez un geste qui est couronné de succès? Bravo! Vous pourrez le répéter afin de continuer sur cette voie. Vous faites une erreur ou vous vous découvrez une faiblesse? Bravo également! Vous venez de vous découvrir une voie vers l'amélioration.

Certains parmi les plus grands ont fait de graves erreurs. Ils en ont tiré les leçons qui s'imposaient et ont agi en conséquence. Ils ont été capables de faire face à leurs erreurs en les mettant en contexte au lieu de se frapper la poitrine et de se terrer dans la honte.

Identifiez une faiblesse dans votre approche à ce jour. De quelles compétences auriez-vous besoin? Quelles connaissances vous manque-t-il? Il se peut que vous ayez de la difficulté à vous vendre face à des clients potentiels. Que vous ayez le trac quand arrive le temps de faire une présentation. Que vous redoutiez de vous faire dire non, même si vous rêvez de vous trouver un amoureux ou un amoureuse. Il se peut également qu'il vous manque certaines connaissances pour accéder au poste que vous convoitez dans votre organisation. Identifiez votre faiblesse et agissez afin d'y remédier.

Cela ne veut pas nécessairement dire que vous devez retourner sur les bancs d'école. Mais si cela s'avère nécessaire, faites-le! Bien des fois, cependant, on peut combler un manque de compétences ou de connaissances en lisant un livre sur le sujet, en s'inscrivant à un séminaire ou à une conférence, ou en posant la bonne question à la bonne personne. Un coach professionnel pourrait également vous aider. Identifiez ce qui vous fait défaut. Trouvez comment vous pouvez remédier à la situation et faites-le! Aujourd'hui.

Je ne vous demande pas de lire tout un livre aujourd'hui ou de dénicher une formation offerte ce soir même. Trouvez ce qui vous manque et déterminez quand et comment vous lirez ce livre ou assisterez à cette formation.

Par exemple, Lysanne souhaitait cesser de vivre dans l'endettement. C'était son projet. Elle en avait assez de ses fins de mois cauchemardesques, mais tous ses efforts semblaient vains. Jusqu'à ce qu'elle réalise qu'elle n'avait pas les compétences nécessaires pour établir un budget et faire la différence entre les bonnes et les mauvaises dettes. Heureusement, elle a appris qu'un organisme communautaire offrait gratuitement des sessions de formation. Elle s'est inscrite et, depuis, elle gère mieux ses affaires.

Ce n'est pas une honte de réaliser qu'il faut mettre ses compétences ou ses connaissances à niveau. C'est plutôt une honte de refuser de le faire quand on sait que ce serait nécessaire et avantageux pour soi.

5.11 Chassez ces pensées négatives

AVERTISSEMENT

Le fait de devoir faire ce qui suit ne vous libère pas des obligations que vous avez prises envers vous-même pour la journée. N'oubliez pas de faire avancer un de vos projets aujourd'hui.

Aujourd'hui, soyez particulièrement attentif aux pensées qui vous traverseront l'esprit. Éliminez d'emblée celles qui sont défaitistes, qui crient à la catastrophe ou qui vous rendent responsable du sort du monde. Apprenez à faire la différence entre le réel et l'imaginaire.

La manière dont vous interprétez les évènements a un impact considérable sur votre mieux-être. Il est tellement facile de tomber dans certains pièges qui peuvent rendre désagréables les plus belles expériences.

En premier lieu, il y a l'esprit défaitiste. Vous tombez dans ce piège quand vous supposez d'entrée de jeu qu'un projet ne vous mènera pas au succès parce que trop d'obstacles entravent sa réalisation. Si vous pensez ainsi au début d'un projet, les risques qu'il soit voué à l'échec sont très grands parce que, dès les premiers obstacles, vous vous avouerez vaincu et vous baisserez les bras. Vous aurez perdu.

En deuxième lieu, il y a la tendance à crier à la catastrophe. Vous souffrez de ce syndrome si, au premier contretemps, aussi minime soit-il, vous décidez que c'en est fait, qu'il est temps de rendre les armes et que vous vous dirigez tout droit vers l'échec. Or, l'expérience tend à prouver que rien ne se réalise du premier coup, que chaque obstacle constitue un rite initiatique qui nous rend davantage capables d'aller plus loin par la suite. Loin de craindre les échecs, il faut au contraire les rechercher parce qu'ils nous montrent la voie vers le succès.

En troisième lieu, il y a la tendance à croire que tout est notre faute. Or, savez-vous que de multiples facteurs peuvent expliquer un échec ? Il y a le *timing,* l'environnement, le manque de participation des partenaires, la température, la bourse, le taux de change, les personnes que côtoient l'être aimé, etc. Chacun de ces facteurs peut améliorer ou réduire vos chances de succès et c'est très présomptueux de votre part de penser que vous pouvez les gérer tous. Ils sont hors de votre zone de contrôle, vous ne pouvez donc pas être tenu responsable de leur comportement et des conséquences. Cessez donc de porter tout le poids de l'univers sur vos épaules. Ce n'est pas à vous seul que cette tâche revient.

Vous êtes en grande partie le résultat de ce que vous pensez. Pensez négativement et vous produirez des résultats négatifs. Pensez autrement et vos résultats seront tout autres. Et, à ce sujet, la discipline compte pour beaucoup. Je vous encourage fortement à être à l'écoute de vos pensées intimes tout au long de la journée et de réagir si vous y percevez du défaitisme, une tendance à crier à la catastrophe ou l'envie de vous mettre toute la responsabilité sur les épaules. Vous êtes assez grand pour savoir que tous ces facteurs ne sont pas de votre ressort et que vous vous nuisez en entretenant des pensées aussi négatives.

5.12 Célébrez! Vous le méritez bien

AVERTISSEMENT

Le fait de devoir faire ce qui suit ne vous libère pas des obligations que vous avez prises envers vous-même pour la journée. N'oubliez pas de faire avancer un de vos projets aujourd'hui.

Aujourd'hui, jetez un coup d'œil à l'un de vos projets et prévoyez comment vous célébrerez lorsque certaines étapes seront franchies. Comment vous récompenserez-vous? Comment fêterez-vous?

Pendant des siècles, les êtres humains ont entretenu une culture de la célébration qui mettait en valeur les évènements importants de l'année. Il y avait de grandes festivités après les récoltes ou les vendanges. Il y avait bacchanale au solstice d'hiver, alors que les jours allaient commencer enfin à allonger. Il y avait cérémonie et banquet en grande pompe lors de l'anniversaire du roi ou de la reine.

Il semble que nous ayons perdu le sens de la fête. Les cérémonies et festivités d'antan ont été remplacées par des congés fériés payés. Pourtant, les célébrations présentent de nombreux avantages. :

❑ Elles permettent de marquer publiquement les réalisations et d'aller chercher la reconnaissance de ses pairs.

❑ Elles viennent consolider une banque de souvenirs associés à des accomplissements positifs. Sans célébration, certains accomplissements risquent de sombrer dans l'oubli. On se rappelle davantage les évènements qui ont été marqués ou célébrés dans le temps.

❑ Elles permettent de se débarrasser du stress (et de certaines hormones pathogènes) que l'atteinte d'un objectif n'a pas manqué de générer en nous.

Il est bon de célébrer. Par exemple, au moment où j'écris ce livre, je planifie son lancement et la réception qui l'accompagnera. Cela me permet de rester motivé et de m'assurer que les gens que j'apprécie seront là pour fêter mon soixante-quinzième titre. Ce soir-là, c'est certain, je vais vraiment célébrer, au point où j'en garderai des souvenirs impérissables!

Comment allez-vous célébrer quand le projet que vous avez choisi sera mené à terme et que vous pourrez, haut et fort, crier victoire? Sera-ce une fête intime ou grandiose? Un voyage en Méditerranée? Un souper en amoureux? Une sortie en famille? Libre à vous de planifier ce que vous voulez. Retenez simplement qu'il s'agira d'une célébration et que l'évènement important à souligner restera votre accomplissement. Dans les organisations, les célébrations améliorent également votre réputation parce qu'elles permettent au maximum de personnes de savoir tout ce que vous avez accompli. Bien gérer votre réputation est important si vous souhaitez que d'autres défis, plus ambitieux encore, vous soient offerts par la suite. C'est la raison pour laquelle on retrouve de plus en plus, en fin d'année, des cérémonies où chaque équipe vient présenter ses principales réalisations.

Retrouvez donc le sens de la fête. Vos succès ont exigé des efforts considérables. Prenez le temps de vous en féliciter.

Chapitre 6

DES CHAMPS DE FORCE
À MAÎTRISER

C'est le monde du divin car il renferme en lui
toutes les oppositions : la lumière et la nuit,
le bien et le mal, la vie et la mort…

– LÉON SCHWARTZENBERG

Si les fumeurs ne se fiaient qu'à des arguments rationnels, il y a longtemps qu'ils auraient tous abandonné cette mauvaise habitude. Après tout, qui a envie de sentir la nicotine tout en espérant vivre moins vieux et plus malade ? Pourtant, nombre de personnes (incluant un grand pourcentage de celles-ci qui aimeraient cesser) continuent de fumer chaque jour. Pourquoi ?

Si les gens continuent à fumer, c'est qu'il y a d'autres forces qui poussent en sens inverse de simples arguments rationnels : la force de l'habitude, la peur du manque, le peur d'être exclus de leur groupe d'amis (si ceux-ci sont tous fumeurs), etc. Face à tout projet, il y a des forces à l'œuvre qui travaillent en faveur de celui-ci et d'autres qui tentent de le miner. L'ensemble de ces champs de force doit être identifié si on souhaite mener le projet à terme.

Certaines de ces forces sont extérieures, c'est-à-dire qu'elles font partie de votre environnement. D'autres sont intérieures et habitent en vous. De par leurs interactions, elles peuvent faire grandir votre détermination ou vous faire croire que vos efforts sont vains. Elles peuvent vous motiver à réussir ou vous donner l'impression que vous combattez des moulins à vent. Elles peuvent vous mobiliser ou vous décourager.

Le plus intéressant, c'est que vous n'êtes pas un simple jouet, un pantin à la merci de toutes ces forces. Vous pouvez consciemment renforcer le contrôle que vous exercez sur chacune d'elles. En vous informant, en les explorant, en les développant ou en les éliminant carrément.

Dans cette section, les douze activités viseront deux choses : réduire l'impact des forces risquant de nuire à votre projet et augmenter la présence des forces positives, autant intérieures qu'extérieures. Vous pouvez exercer un plus grand contrôle que vous le pensez sur les forces susceptibles d'influencer votre succès pour chacun de vos projets. Sortez donc vos dés et lancez-les !

6.1   Et si vous ne faites rien?

Avertissement

Le fait de devoir faire ce qui suit ne vous libère pas des obligations que vous avez prises envers vous-même pour la journée. N'oubliez pas de faire avancer un de vos projets aujourd'hui.

Aujourd'hui, vous devrez faire de la projection : imaginez où vous en serez dans dix ans si vous ne faites rien, si vous ne provoquez pas la réalisation de vos projets ou si vous ne vous donnez pas la peine d'en trouver. Mettez le tout sur papier.

Napoléon Bonaparte a dit que les deux leviers de la puissance sont la crainte et les intérêts. Plus près de nous, quelques motivateurs ont dit qu'il y a deux façons de mobiliser les gens : par la carotte (les récompenses) ou le bâton (les punitions). Aujourd'hui, nous utiliserons le bâton pour secouer le champ de force négatif qui nous pousse à l'immobilisme.

Projetez-vous donc dans l'avenir. De quoi aura l'air votre vie si, dans dix ans, vous n'avez pas lancé votre projet, vous n'avez pas repris le contrôle de votre vie, vous êtes encore avec le même conjoint indifférent, vous avez continué d'abuser de l'alcool, etc. ?

Soyez franc. Vous n'aurez pas à montrer ce texte à quiconque. Quelles seront les conséquences de votre inaction si vous ne posez aucun geste pour changer la trajectoire de votre vie. Laissez-moi vous donner quelques exemples produits par des personnes qui se sont un jour retrouvées dans votre situation.

1. « Si je ne fais rien pour améliorer mon employabilité, je serai encore dans cet emploi que je déteste, avec ce patron que je méprise, à répondre à des clients dont les préoccupations ne m'intéressent en rien. Je vais continuer à rentrer à la maison de mauvaise humeur et à m'éloigner de ceux que j'aime. Voici mon avenir si je n'agis pas : cul-de-sac professionnel et solitude. »

2. « Ce n'est pas dans dix ans mais dans deux ou trois ans maximum que je vais faire faillite si je continue à m'endetter à ce rythme. Je me vois dans dix ans avec un mauvais dossier de crédit, incapable de réserver une chambre d'hôtel faute de carte de crédit, et seul parce que mes amis actuels ne fréquentent pas les gens pauvres. »

3. « Dans dix ans, si je ne fais rien, j'aurai continué à prendre du poids, je ne serai plus capable de bander, c'est avec peine que je monterai un escalier de quatre ou cinq marches et je ne serai plus capable de retrouver même un semblant de bonne forme physique. J'aurai bousillé ma santé. »

Qu'en sera-t-il de vous si vous ne prenez pas votre destin en main ? Réfléchissez à la question toute la journée et, ce soir, mettez vos réponses par écrit. Ensuite, demandez-vous si c'est vraiment ce que vous vous souhaitez comme avenir. Dans la négative, pourquoi n'entreprendriez-vous pas dès aujourd'hui ce premier geste qui vous permettra de vous créer un avenir souhaitable plus stimulant, plus valorisant, plus agréable et plus intéressant ?

Si vous attendez dix ans, il sera peut-être trop tard. Et même s'il sera encore temps à ce moment-là de redresser la barre, vous aurez perdu dix ans de votre vie. Et dix ans, dans une vie, c'est beaucoup. Il est vraiment temps que vous reconsidériez votre vie et votre avenir avec plus de sérieux.

6.2   Projetez-vous... pour la chance !

<small>AVERTISSEMENT</small>

Si vous ne vous êtes pas donné d'objectif à ce jour, relancez les dés. Cette activité présuppose que vous ayez des projets en tête. Si vous avez bel et bien un projet, cette activité ne vous dispense pas de le faire avancer aujourd'hui. Choisissez une étape (élaborée lors de l'activité 1.3) et faites-la.

C'est aujourd'hui l'occasion de pratiquer ce que vous avez appris en lisant *Le Secret*. Choisissez un projet et visualisez comment vous vous sentirez quand vous le réaliserez. Goûtez à l'avance les fruits de la réussite.

Quand elle est accompagnée par des gestes concrets, la visualisation offre de grands avantages. Elle permet de goûter à l'avance aux fruits du succès. Ce faisant, elle donne envie de se lancer pour réaliser le plus vite possible ce qui, aux yeux de l'esprit, est tout à fait réalisable. Bref, elle motive.

C'est normal quand on s'attend à ce qu'un projet soit couronné de succès : on investit l'énergie et l'enthousiasme nécessaires à sa réalisation. On se lance parce qu'on a hâte de savourer notre réussite. Il est très difficile de se lancer avec plaisir et motivation dans un projet qu'on considère voué à l'échec. Dans ce cas, l'énergie n'y sera pas parce que, de toute manière, elle sera gaspillée.

Prenez donc un de vos projets et relisez les différentes étapes que vous devrez franchir pour le mener au succès. Fermez les yeux. Visualisez ce qu'il se passera quand vous l'aurez réalisé. Ressentez le plaisir que vous éprouverez. Savourez les bénéfices que vous retirerez. Sentez la fierté bien légitime qui sera vôtre. Bref, voyez-vous au terme de votre quête. On se sent bien, n'est-ce pas ?

Par exemple, si vous êtes présentement accablé de dettes, imaginez ce que vous ressentirez quand vous recevrez votre premier relevé de compte de carte de crédit présentant un solde nul. Vous serez fier. Vous serez content d'y être arrivé. Vous vous direz que, dorénavant, tout est possible !

Si vous souhaitez obtenir une promotion, imaginez le jour où vous la recevrez. Voyez-vous l'annonçant aux gens que vous aimez. Anticipez la fierté dans leurs yeux. Visualisez la fête que vous ferez à ce moment-là.

Une étude effectuée par Richard Wiseman, un psychologue et auteur britannique, a d'ailleurs démontré que l'un des traits qui distinguent les gens chanceux de ceux qui le sont moins, c'est cette capacité à anticiper les bénéfices quand ils se lancent dans des projets. Les moins chanceux ont plus tendance à imaginer les obstacles qui se présenteront inévitablement. Pour cette raison, ils se lancent moins souvent et abandonnent plus rapidement.

Visualisez les bénéfices futurs de votre projet... sans pour autant rester immobile pendant que vous êtes dans l'attente. Voilà qui fera de vous une personne chanceuse. Intéressant, n'est-ce pas ?

6.3   Ramenez la semaine à sept jours

<small>AVERTISSEMENT</small>

Si vous ne vous êtes pas donné d'objectif à ce jour, relancez les dés. Cette activité présuppose que vous ayez des projets en tête. Si vous avez bel et bien un projet, cette activité ne vous dispense pas de le faire avancer aujourd'hui. Choisissez une étape (élaborée lors de l'activité 1.3) et faites-la.

Si vous êtes du genre à avoir des semaines de huit jours, il est temps, aujourd'hui, de les ramener à sept jours. Faites avancer un de vos projets en cessant de vous dire que vous en ferez plus «und'cé jour». Cette huitième journée n'existe plus.

Vous connaissez le nom des huit jours de la semaine? Il y a lundi, mardi, mercredi, jeudi, vendredi, samedi, dimanche et und'cé jour. Quand débute une journée et qu'il faut faire la liste des choses à faire, il est très tentant de repousser certains projets à und'cé jour. Aujourd'hui, c'est terminé.

Vous devriez le savoir. Tout ce que vous reportez à und'cé jour n'est jamais réalisé. Faites un bref retour sur le passé. Combien de choses avez-vous reportées à und'cé jour sans jamais y donner suite? Vous souhaitiez déclarer votre amour à l'être cher… und'cé jour. Vous souhaitiez vous remettre en forme… und'cé jour. Vous souhaitiez changer d'emploi… und'cé jour. Vous aviez à cœur d'écrire votre premier roman... und'cé jour. Vous envisagiez de lâcher la coke... und'cé jour. Mais vous voici aujourd'hui en attente d'une journée qui n'existe pas. C'est de la science-fiction et, tant que vous reporterez ce que vous devez faire à und'cé jour, il ne se passera rien.

Voici donc ce que je vous propose, du moins pour aujourd'hui puisque vous avez lancé un 6 et un 3 : chaque fois que vous aurez envie de reporter une activité à und'cé jour, reportez-la à aujourd'hui. C'est simple. Au lieu de dire und'cé jour, vous dites aujourd'hui et vous le faites.

Imaginez que vous ayez déclaré votre amour... la bonne journée. Que vous ayez débuté votre programme d'activité physique... quand c'était le temps. Que vous ayez changé d'emploi... au moment opportun. Que vous ayez débuté l'écriture de votre premier roman... quand vous étiez inspiré. Que vous ayez abandonné la coke avant d'y engloutir tout ce que vous possédez. Comment serait votre vie aujourd'hui ?

D'accord, vous avez laissé passer les choses et vous ne récoltez aujourd'hui que ce que vous avez semé par défaut, par paresse même. Mais aujourd'hui est la bonne journée. Nous éliminons du calendrier und'cé jour. Dorénavant, c'est aujourd'hui. Ou lundi, ou mardi... Tant que vous ne vous disciplinerez pas à faire ce qui doit être fait pour voir vos projets progresser, ceux-ci se retrouveront dans le même état que ce que vous avez repoussé à und'cé jour.

Faites d'aujourd'hui une journée spéciale. La journée où, sciemment, vous ferez avancer vos projets. Et inscrivez déjà à votre agenda de demain une récompense que vous vous offrirez pour fêter l'évènement. Est-ce que ce sera votre café favori ? Un bon roman ? Peu importe, vous l'aurez mérité demain si vous posez des actions pour faire avancer vos projets aujourd'hui.

Und'cé jour n'existe plus. C'est désormais aujourd'hui que vous devez faire ce qui importe.

6.4 Vous ne vous décevriez pas, n'est-ce pas?

AVERTISSEMENT

Si vous ne vous êtes pas donné d'objectif à ce jour, relancez les dés. Cette activité présuppose que vous ayez des projets en tête. Si vous avez bel et bien un projet, cette activité ne vous dispense pas de le faire avancer aujourd'hui. Choisissez une étape (élaborée lors de l'activité 1.3) et faites-la.

Prenez un de vos projets et consultez-en l'échéancier. À quelle étape devriez-vous en être rendu d'ici un mois? Rédigez une lettre de félicitations qui devra vous parvenir à cette date. Mentionnez à quel point vous êtes fier et décrivez où vous devriez en être à ce moment-là. Placez la lettre dans une enveloppe. Adressez-la et demandez à un ami de vous la poster pour qu'elle vous parvienne au moment opportun.

Il existe une loi en gestion du temps qui s'appelle la Loi de Parkinson. Celle-ci stipule que la réalisation d'une tâche prendra généralement tout le temps à notre disposition. Si vous disposez d'une heure pour la faire, elle vous prendra une heure. Si vous disposez de deux heures, vous prendrez deux fois plus de temps. C'est la nature humaine en mode inertie. Nous accélérons notre travail à mesure que la date limite ou l'échéance ultime approche et nous terminons à l'heure.

C'est la raison pour laquelle il est bon de disposer d'une date butoir quand on débute une rencontre. Même si les gens prennent leur temps au début, ils deviennent soudainement efficaces quand on leur rappelle «qu'il ne reste que trente minutes et que trois points restent à l'ordre du jour».

C'est sur ce facteur que table l'activité d'aujourd'hui. Vous allez vous donner une date limite pour faire avancer un projet à l'étape prévue dans un mois. Pour ce faire, vous procéderez en quatre temps.

1. *Sélectionnez le projet sur lequel vous vous pencherez aujourd'hui.* Prenez-en un qui vous tient vraiment à cœur et dont l'échéancier vous semble réaliste.

2. *Identifiez où ce projet devrait en être d'ici trente jours.* Quelles étapes aurez-vous franchies? Où en serez-vous?

3. *Rédigez une lettre de félicitations à votre intention.* Rappelez-vous à l'avance des étapes que vous aurez franchies. Communiquez votre fierté d'avoir franchi ces étapes. Dites à quel point vous avez confiance en votre capacité de mener ce projet à terme. Bref, devenez votre plus grand fan et jouissez à l'avance de tous les gestes que vous poserez d'ici un mois.

4. *Après l'avoir insérée dans une enveloppe adressée à votre domicile, confiez votre lettre à un ami.* Il devra la poster pour que vous la receviez dans un mois. Notez dans votre agenda quand celle-ci devrait vous parvenir.

Il vous reste maintenant à être à la hauteur et à ne pas vous décevoir. Dans un mois, vous recevrez cette missive. Que souhaitez-vous ressentir à ce moment-là? De la déception ou de la fierté? Le résultat vous appartient.

Investissez les efforts nécessaires chaque jour et vous pourriez même être encore plus avancé que prévu quand la lettre vous arrivera!

Il est de plus en plus rare de recevoir du courrier qui fait plaisir. À quand remonte la dernière fois où on vous a félicité? Cela se produira bientôt. Dans trente jours.

6.5   Vos moments de faiblesse

Il y a des jours où vous n'êtes pas à la hauteur. Des jours où vous allez à l'encontre de vos résolutions les plus chères. Aujourd'hui, identifiez un de vos moments de faiblesse et donnez-vous un plan de match pour réduire son influence négative sur l'atteinte de vos objectifs.

Le vœu le plus cher de Louise, c'est de réduire son endettement. Elle n'en peut plus de constamment se demander si la transaction sera acceptée quand elle procède au moindre achat. Elle n'en peut plus de constater combien ses cartes de crédit lui coûtent en intérêts chaque mois. En conséquence, elle s'est donné comme objectif de se débarrasser de ses dettes d'ici 24 mois.

Le problème, c'est que son conjoint doit fréquemment s'absenter et que, lors de ses absences, elle se sent seule et compense en se rendant au centre commercial. Immanquablement, c'est remplie de culpabilité qu'elle rentre à la maison le soir et va cacher ses achats dans la penderie.

Ces jours-là, elle peut aisément anéantir ses efforts budgétaires des deux dernières semaines. Elle s'en veut.

Que pourrait faire Louise? Elle sait que ses moments de faiblesse surviennent quand son conjoint est au loin. Pourrait-elle se planifier des activités qui n'impliquent pas de grosses dépenses pendant ses absences? Elle pourrait visiter des amis, des musées ou en profiter pour faire avancer son travail quand elle est seule. En remplissant ces moments où elle est plus fragile, elle parviendra plus aisément à atteindre ses objectifs financiers.

Qu'en est-il de vous? À quels moments posez-vous des gestes qui vous éloignent de vos rêves? Si vous souhaitez maigrir, à quels moments vous laissez-vous tenter par des aliments dont vous n'avez pas besoin? Si vous souhaitez réduire votre consommation d'alcool, dans quelles circonstances buvez-vous trop? Si vous souhaitez terminer un cours, à quels moments vous laissez-vous hypnotiser par des activités qui ne vous apportent rien et qui gaspillent le temps que vous pourriez consacrer à l'étude?

Identifiez ces moments et, à l'instar de Louise qui saura dorénavant quoi faire les jours où elle se sent seule, développez des stratégies qui ne vous feront pas reculer quand ceux-ci se présentent. Vous êtes un être intelligent, doté de volonté. Vous n'avez pas à entretenir les comportements automatiques que vous avez fait vôtres au fil des ans. Identifiez les moments où vous êtes vulnérable et agissez en conséquence.

Vous remarquerez rapidement que vous vous sentirez très fier les jours où vous ne vous entraînerez pas vous-même à contre-courant de vos projets les plus chers. Ces jours-là, n'hésitez pas à en faire part à votre entourage. Vous méritez de chaleureuses félicitations.

6.6 Récompensez-vous souvent mais modérément

AVERTISSEMENT

Si vous ne vous êtes pas donné d'objectif à ce jour, relancez les dés. Cette activité présuppose que vous ayez des projets en tête. Si vous avez bel et bien un projet, cette activité ne vous dispense pas de le faire avancer aujourd'hui. Choisissez une étape (élaborée lors de l'activité 1.3) et faites-la.

Aujourd'hui, prenez un de vos projets et constatez vos progrès depuis le début. Respectez-vous votre échéancier? Êtes-vous venu à bout d'étapes qui vous semblaient majeures au début? Dans l'affirmative, prenez du temps pour vous récompenser aujourd'hui, mais sans faire d'extravagances. Faites-vous simplement plaisir.

Belle activité, n'est-ce pas? Aujourd'hui, vous ferez le point sur l'avancement d'un de vos projets. Choisissez-en un et constatez où vous en êtes. Avez-vous, à ce jour, respecté vos engagements? Tenez-vous bon? Et même si des imprévus vous ont ralenti, êtes-vous fier du travail accompli?

Dans l'affirmative, offrez-vous aujourd'hui une petite récompense. Ce peut être un CD, un DVD, un livre que vous vous offrirez, une bouteille de vin que vous dégusterez en bonne compagnie, un film au cinéma, un dessert décadent, etc. Ce qui importe, c'est que ce soit quelque chose qui vous fera plaisir, mais qui ne vous coûtera pas la peau des fesses.

Pourquoi? Parce que ce doit être une récompense, et non une dépense extravagante. Vous soulignerez vos accomplissements sans vous enfoncer dans le crédit. Il n'y a rien de pire qu'une fête qui se révèle une erreur quand arrive le relevé Visa ou Master Card. Récompensez-vous sans craindre de le regretter dans un mois.

De plus, les études démontrent qu'en matière de motivation, il vaut mieux s'offrir de petites récompenses tout au long d'un projet plutôt que de se promettre quelque chose d'énorme à la fin, quand le projet sera complété.

Pourquoi? Parce que c'est la réussite qu'il faut souligner par de petites récompenses. Et celle-ci est présente tout au long de l'avancement du projet. Chaque fois que vous vous couchez avec le sentiment d'avoir progressé, vous avez réussi. Il est bien entendu que votre quête n'est pas terminée, mais, dans les faits, vous connaissez déjà le succès.

D'autant que vous n'avez pas besoin d'une grande récompense à la fin d'un projet parce que, si vous l'avez bien choisi, son accomplissement constituera une récompense en soi. Sinon, pourquoi tous ces efforts?

C'est ce que vous faites avec un enfant qui apprend à marcher. Vous ne vous dites pas que vous le féliciterez chaleureusement et que vous l'emmènerez à Walt Disney une fois qu'il aura finalement appris. Vous le félicitez à chaque pas, même quand il se retrouve sur le derrière. C'est de cette manière que vous l'encouragez à continuer et à maîtriser l'art de se tenir debout et de marcher.

Il en va de même pour vous. Célébrez aujourd'hui vos accomplissements à ce jour. Oubliez pour l'instant les étapes qu'il vous reste à franchir. Soyez heureux du bout de chemin réalisé et, si le cœur vous en dit, venez vous en glorifier sur la page Facebook associée à *www.jemeriteplus.com.*

6.7 Imposez-vous un «contrôle parental»

AVERTISSEMENT

Le fait de devoir faire ce qui suit ne vous libère pas des obligations que vous avez prises envers vous-même pour la journée. N'oubliez pas de faire avancer un de vos projets aujourd'hui.

Attaquez-vous aujourd'hui à une de vos activités hypnotiques. Réduisez-la au maximum et, ce soir, constatez à quel point vous avez été plus productif et comment vous avez pu faire progresser vos projets.

Depuis des mois, Stéphane talonnait son patron afin de pouvoir travailler de la maison. De cette manière, il éviterait les trois heures de congestion routière quotidienne qui séparait la Rive-Sud du bureau de Montréal. Mais, après un mois de travail à la maison, son patron lui a annoncé qu'il n'était plus question de télétravail, que son rendement avait considérablement chuté et qu'il devrait recommencer à se taper le pont à chaque jour, matin et soir.

Que s'est-il passé, selon vous? Comment se peut-il que le rendement de Stéphane ait diminué malgré le fait qu'il avait à sa disposition 3 heures de plus quotidiennement? Voici la réponse : Stéphane est accro à la pornographie sur Internet. Quand il se branche sur un site, il ne voit plus le temps passer. Il peut rester des heures à naviguer d'une vidéo à l'autre et, pendant tout ce temps, il ne travaille pas. Stéphane aurait eu intérêt à s'imposer un «contrôle parental». Puisqu'il ne l'a pas fait, revoici les ponts, les embouteillages et le stress de la congestion routière.

Bienvenue dans le monde des activités hypnotiques, ces activités dans lesquelles on se lance pour quelques minutes et qui finissent par gruger nos journées. Ces activités qui nous empêchent de faire notre travail ou de faire avancer nos projets. Ces activités qui ont pour conséquence qu'à la fin de la journée, on a l'impression de ne pas avoir avancé.

Quelles sont vos activités hypnotiques? Pour certains, ce sont les bavardages autour de la machine à café ou le temps perdu au téléphone dans des conversations trois fois plus longues que nécessaire. Pour d'autres, c'est Internet ou les réunions inutiles et improductives. Plusieurs se laissent hypnotiser par le téléviseur une fois rentrés à la maison et que dire de ceux qui s'entêtent à gaspiller leur argent dans les jeux de poker en ligne?

Aujourd'hui, offrez-vous l'équivalent d'un contrôle parental. Dressez la liste de toutes les activités hypnotiques qui vous font perdre votre temps. Évaluez combien de temps vous pourriez regagner en les éliminant. Mais ne vous attaquez pas à toutes. Choisissez-en une et décidez de la rayer de votre emploi du temps pendant toute la journée. N'allez pas à cette rencontre où, de toute manière, vous n'avez rien à y faire. Évitez ces sites Web qui vous font perdre votre temps. Saluez les gens en vous rendant au café et retournez au travail subito presto. Vous pourrez leur parler amplement à l'heure du lunch.

Faites plutôt avancer vos projets, que ce soit vos projets personnels ou vos projets prioritaires au travail. Prenez de l'avance et produisez des résultats. Ne vous laissez pas abrutir par des activités hypnotiques. Je parie qu'en fin de journée, vous serez très fier de vous.

6.8   Établissez un poste-frontière

Aujourd'hui, identifiez une chose ou une personne qui nuit à l'atteinte de vos objectifs et établissez un poste-frontière qui vous gardera hors de portée de ses effets négatifs.

J'ai hésité avant de choisir le titre de cette activité. Au début, elle s'appelait *Vade retro,* tentation ! Mais comme les locutions latines sont de moins en moins utilisées, j'ai opté pour l'analogie du poste-frontière. Il existe des choses qui vous font perdre de vue vos objectifs et qui vous maintiennent dans votre situation actuelle. Vous allez aujourd'hui en identifier une et placer une frontière tout autour. De cette manière, vous n'y aurez plus accès.

Voyons quelques exemples. Si vous avez tendance à perdre du temps à mémérer avec vos collègues, vous auriez intérêt à ce que votre cubicule soit situé loin de la machine à café. En modifiant votre environnement, vous réduiriez les risques de perte de temps. Si vous souhaitez maigrir et que vous habitez au-dessus d'une pâtisserie que vous affectionnez particulièrement, l'idée de déménager devrait vous effleurer l'esprit. Si vous rencontrez votre *dealer* de coke chaque fois que vous fréquentez un certain bar, pourquoi ne pas aller passer la soirée ailleurs ce week-end? Finalement, si vous avez tendance à boire tant qu'il y a de l'alcool dans la maison, le fait de ne pas stocker votre bar en début de semaine devrait vous rendre plus productif.

Bref, trouvez aujourd'hui une façon de mettre un frein à vos comportement autodescructifs. Qu'est-ce qui vous fait faillir? Qu'est-ce qui vous place dans un état tel que vous en oubliez vos plus importantes résolutions?

Maryse avait un problème de surendettement. Dès qu'elle se sentait frustrée au travail, elle compensait en allant magasiner. À force de discipline, elle a réussi à ramener le solde de sa carte de crédit à zéro. Cette journée-là, elle a pris une paire de ciseaux et a coupé la carte en morceaux. Elle ne pourra jamais plus l'utiliser.

Quand il rencontrait une compagne potentielle, Serge devenait un vieux vicieux dès qu'il buvait un peu. Il ne se maîtrisait plus et prodiguait des caresses qui devenaient rapidement des agressions. Il a pris l'habitude de se masturber avant une rencontre, ce qui a fortement réduit ses comportements envahissants et déplacés lors de ses rendez-vous.

Qu'en est-il pour vous? Y a-t-il des tentations près de vous autour desquelles vous pourriez ériger un poste-frontière? Des gens que vous ne devriez pas voir? Des établissements que vous devriez éviter de fréquenter? Des produits que vous ne devriez pas stocker à la maison? Que pouvez-vous faire pour réduire l'influence négative de ces tentations?

Loin des yeux, loin du cœur. Si vous éloignez les sources de tentation qui minent votre vie, vous disposerez de plus de temps et d'énergie pour faire avancer ce qui vous tient à cœur. *Vade retro,* tentation!

6.9   La distance... a de l'importance

AVERTISSEMENT

Le fait de devoir faire ce qui suit ne vous libère pas des obligations que vous avez prises envers vous-même pour la journée. N'oubliez pas de faire avancer un de vos projets aujourd'hui.

Y a-t-il des obstacles qui vous empêchent d'entrer régulièrement en contact avec des gens susceptibles de vous aider à vous sentir valorisé ou à réaliser vos objectifs? Dans l'affirmative, identifiez l'une de ces personnes et trouvez des moyens d'entrer plus souvent en contact avec elle.

Y a-t-il des gens auprès desquels vous vous sentez estimé et qui vous donnent envie de vous dépasser parce que, à leur contact, vous réalisez que c'est possible? Y a-t-il des gens qui vous encouragent quand vous partagez vos projets? Y a-t-il des collègues qui, sans que ce soit officiel, vous offrent des conseils afin de vous aider à faire progresser votre carrière?

Ces gens sont une source d'énergie inestimable. Vous vous devez de multiplier les occasions d'être en contact avec eux parce que, si vous êtes entouré de gens négatifs la majorité du temps, vous risquez de prendre une voie descendante plutôt que la voie de l'amélioration de votre situation personnelle. Que pourriez-vous faire pour multiplier les contacts avec les gens qui vous mobilisent, qui vous font sentir meilleur, qui vous font sentir que vous méritez plus?

Par exemple, Sylvie a décidé de ne plus écouter sa télé-réalité le mardi soir afin de pouvoir participer aux rencontres de son groupe d'entrepreneurs autonomes. Pierre a changé l'heure de sa pause afin de se retrouver avec les meilleurs vendeurs du groupe au lieu de continuer à se tenir avec les insatisfaits. Lucien a laissé tomber sa ligue de quilles pour profiter de la présence de ses nouveaux amis le mercredi.Vous pouvez, en modifiant vos habitudes ou votre horaire, faire en sorte de vous retrouver plus souvent avec les gens qui vous mobilisent.

Et n'allez pas vous imaginer que tous ces contacts doivent avoir lieu en personne. Il existe des groupes de discussion où vous trouverez des gens dont les intérêts se rapprochent des vôtres. Si vous êtes abonné au site *www.jemeriteplus.com*, vous pouvez vous rendre sur la page Facebook et échanger avec les autres usagers du site. Bref, développez une communauté d'intérêts communs dirigée vers votre succès, vers vos avenues de réussite.

Aujourd'hui, faites la liste de ces personnes. Identifiez-en une et demandez-vous comment vous pourriez multiplier vos contacts avec elle. Appelez-la pour l'inviter à déjeuner. Participez aux événements auxquels elle participe. Si vous pouvez lui rendre service, faites-le.

En multipliant les contacts avec les gens qui partagent vos objectifs de réussite, vous baignez dans un environnement favorable à votre succès. Imaginez-vous joueur d'élite au hockey ou au basketball. Préféreriez-vous passer la soirée précédant un match avec des partisans ou des adversaires? En vous tenant avec des partisans, vous multipliez vos chances de succès. Ce n'est pas magique. C'est un résultat de la composante énergétique des contacts humains : certaines personnes vous énergisent et d'autres vous drainent. Choisissez avec lesquelles vous serez en contact et gérez votre niveau d'énergie.

6.10 Routine et engourdissement

AVERTISSEMENT

Le fait de devoir faire ce qui suit ne vous libère pas des obligations que vous avez prises envers vous-même pour la journée. N'oubliez pas de faire avancer un de vos projets aujourd'hui.

Aujourd'hui, trouvez des moyens de contrer l'engourdissement de la routine en vous offrant des pense-bêtes qui viendront vous rappeler vos objectifs quand, dans le feu de l'action, vous les perdez de vue.

Pendant des années, Léo a pesé 230 livres (105 kg). C'est à force d'efforts et de sacrifices qu'il a peu à peu retrouvé un poids santé. Mais il faut dire que la routine lui nuit à l'occasion. Par exemple, quand il écoute la télé, il lui arrive de se lever machinalement et de se rendre au frigo manger des aliments dont son organisme n'a absolument pas besoin.

Qu'a fait Léo? Il a simplement collé dans son frigo une photo de lui à 230 livres (105 kg). Dès qu'il ouvre la porte, et même quand il le fait machinalement, cette photo devant ses yeux lui rappelle tous ses efforts et il peut alors décider, en se questionnant consciemment, s'il a ou non besoin d'un apport calorique supplémentaire.

Vous pouvez faire de même. Vous connaissez les moments où la routine prend le dessus sur vous et au cours desquels vous vous placez en mode automatique. Que pourriez-vous faire dans ces moments pour vous ramener sur terre? Voici quelques réponses d'individus qui sont passés par là :

❑ Patricia a placé un sommaire de tous ses projets dans le miroir qu'elle utilise pour se maquiller le matin. Elle s'assure ainsi de quitter la maison pour le travail avec ses projets frais à l'esprit.

❑ C'est quand il est au téléphone que Pierre oublie le plus souvent ses priorités. Il a donc décidé de placer la liste de ses projets sur son fond d'écran. De cette manière, il ne les perd pas de vue.

❑ Jacqueline oublie ce qu'elle souhaitait faire chaque fois qu'elle ouvre la télévision. Elle a placé ses idées de projets sur des post-it collés tout autour de l'écran.

❑ Le matin, David se téléphone au bureau et laisse sur sa boîte vocale un rappel de ce qu'il doit absolument faire pendant la journée. Il se voit ainsi rappelé tous ses engagements chaque fois qu'il prend ses messages.

Quand oubliez-vous votre raison d'être? Quand vous laissez-vous tirer par ce qui semble urgent au lieu de vous concentrer sur ce qui est important? Identifiez ces moments aujourd'hui et faites en sorte d'être rappelé à l'ordre quand cela surviendra.

Vous aimeriez automatiser ce travail? Sachez que vous pouvez programmer votre logiciel de courriers électroniques afin qu'il vous expédie à l'heure que vous le souhaitez des rappels concernant tout ce que vous devez faire. La routine n'a plus à s'emparer de vous. Vous êtes capable de sortir de la torpeur dans laquelle elle vous maintient en vous assurant d'être rappelé à l'ordre chaque fois que vous êtes en danger.

N'hésitez pas, si vous êtes inscrit au site *www.jemeriteplus.com*, à partager avec les autres usagers sur la page Facebook les évènements qui torpillent vos meilleures intentions. Qui sait? D'autres usagers vous présenteront peut-être LE truc qui vous fera crier eurêka!

6.11 Obligez-vous !

Aujourd'hui, réduisez les risques que vous remettiez à plus tard des actions que vous devez enclencher pour faire avancer vos projets. Engagez-vous à l'avance. Payez à l'avance. Faites en sorte qu'une fois la journée arrivée, vous passiez à l'action parce que vous n'aurez pas le choix.

Savez-vous qu'il est toujours hasardeux, pour un conférencier, de donner des billets gratuits pour une de ses présentations ? Pourquoi donc ? Parce que sa générosité ne garantit pas qu'il y aura des gens dans la salle la journée de l'évènement. Si le billet ne leur a rien coûté, beaucoup de gens n'hésiteront pas à simplement le jeter. Au fond, ils ne perdent rien... Alors que, parmi les personnes qui ont payé leur billet, une minorité seulement ne se présentera pas à la conférence.

Le fait de vous engager constitue un puissant champ de force qui vous amènera à agir plutôt que de perdre votre investissement. Vous souhaiteriez améliorer votre couple ? Prévoyez des activités ensemble et, au lieu de simplement en parler, réservez les billets d'avion, d'hôtel, de spa ou de spectacle aujourd'hui. Vous hésiterez avant d'annuler le jour venu. C'est gênant de dire à l'être cher qu'on préfère reporter à plus tard quand tout est réservé depuis des semaines...

Il en va de même d'un étudiant qui s'inscrit à un cours d'été afin de faire du rattrapage. Non seulement doit-il le payer mais, s'il n'étudie pas suffisamment, un E sera porté à son relevé de note et viendra caler sa moyenne générale. En s'engageant, il s'oblige à performer.

Que pourriez-vous faire pour que vous vous sentiez obligé de poser les bons gestes afin de faire avancer vos projets dans les semaines et les mois à venir? Pour que votre engagement en vaille vraiment la peine, il faut qu'il implique une perte en cas de désistement : perte financière, perte professionnelle, perte relationnelle, etc.

Par exemple, si vous gagnez 80 000 $ par année, ce n'est pas un abonnement à un gymnase qui vous coûte 40 $ par mois qui vous forcera à faire de l'exercice. Ce 40 $, au fond, vous pouvez le perdre et vous n'en verrez pas la différence. Mais si vous embauchez un entraîneur personnel qui vous coûte 150 $ par semaine, que vous vous présentiez ou pas, il est plus que probable que vous alliez vous entraîner pour limiter les pertes.

Qu'est-ce qui vous permettrait d'atteindre vos objectifs? Une participation à un colloque qui aura lieu à Philadelphie dans six mois? Portez dès aujourd'hui à votre carte de crédit l'inscription, le vol et l'hébergement. Je parie que vous y serez lors de la conférence d'ouverture. En vous obligeant, vous contrecarrez le champ de force de l'inertie qui, nous l'avons vu, peut s'avérer très puissant. Vous prenez le dessus sur l'envie de vous encroûter.

6.12 Votre mandala personnel

Choisissez un de vos projets et demandez-vous quels bénéfices vous retirerez de sa réalisation. Trouvez quelques illustrations correspondantes et faites un montage que vous placerez sur un mur, dans votre mallette ou sur votre fond d'écran.

Savez-vous ce qu'est un mandala ? Dans le bouddhisme, c'est une représentation géométrique qui est symbolique de l'univers. Dans le sens large, c'est une représentation graphique de ce à quoi vous aspirez. Ce que vous devez faire aujourd'hui, c'est vous demander comment vous pouvez représenter graphiquement ce qui se passera quand vous aurez réalisé votre projet, puis créez la représentation graphique (un poster, un fond d'écran, etc.) de ces bénéfices.

Par exemple, j'ai une amie qui, à la fin de son MBA, rêvait entre autres de posséder un voilier. Elle a créé un poster présentant tout ce qu'elle souhaitait réaliser et, dans celui-ci, elle a placé l'image d'un voilier trouvée dans un magazine. Puis elle a placé ce poster dans un endroit où elle pourrait le voir tous les jours. Dix ans plus tard, elle possédait ce voilier. Même marque. Même modèle.

Prenez quelques magazines ou fouillez sur Internet. Trouvez des images qui représentent ce que vous obtiendrez une fois l'un de vos projets réalisé. Dans certains cas, ce sera la santé. Trouvez des images qui vous parlent mettant en vedette des gens en forme. Si c'est la richesse qui vous séduit, trouvez des symboles d'opulence (maison, voyages, voitures, etc.) et créez votre représentation graphique. Si c'est la fin de l'endettement, numérisez votre dernier relevé de carte de crédit et appliquez, en surimpression, un gigantesque PAYÉ avant de l'imprimer et de l'encadrer.

Ensuite, placez-le bien en vue pour que vous puissiez le contempler chaque jour. Ce mandala, c'est votre destination. Vous le regarderez chaque jour en vous rappelant que c'est le but ultime de tous vos efforts. Ce sera votre motivation. Ce qui vous anime et vous permet de trouver l'énergie nécessaire à l'accomplissement de votre rêve.

La visualisation est très puissante lorsqu'elle est accompagnée d'actions concrètes. Il ne suffit pas de rêver sans agir, mais si vous pouvez visualiser à chaque jour, vous pouvez garder en vous la motivation nécessaire pour persévérer. En maintenant dans votre environnement des rappels de votre destination, vous rendez celle-ci plus palpable. Au lieu d'entretenir un fantasme ou un rêve, vous êtes en mesure de savourer à l'avance ce qui vous attend au bout de vos efforts.

Imaginez, par exemple, une personne qui s'astreint à une nouvelle rigueur budgétaire et qui, chaque jour, débute la journée en regardant son relevé de carte de crédit où est inscrite la mention *payé* avec, tout autour, des gens visiblement soulagés d'un grand poids. C'est sa motivation à elle pour continuer à réduire son endettement malgré les tentations.

Trouvez des images qui vous font vibrer personnellement. Ce n'est pas un mandala passe-partout que vous créerez aujourd'hui. Ce sera le vôtre.

Conclusion

LE GOÛT DE LA RÉUSSITE

Quelle homme vécût jamais une réussite achevée?

— CHARLES DE GAULLE

— *L'histoire sans fin*

Théoriquement, vous ne devriez pas vous retrouver ici. Si vous suivez les règles du jeu, vous remarquerez que celui-ci n'a pas de fin et qu'aucun coup de dé ne vous amènera à la conclusion. Il est probable que la partie se poursuivra sans fin. Ce n'est pas étonnant quand on sait que le succès n'est pas un état. C'est un processus.

C'est au fur et à mesure que vous vous approchez de la réalisation d'un objectif que vous ressentez l'euphorie de la réussite. Celle-ci vous permet, certes, de baigner un instant dans un doux état de satisfaction, mais une question doit maintenant s'imposer à vous : quel sera votre prochain objectif? À quel sommet vous attaquerez-vous maintenant?

Car on prend goût à la réussite. On finit par apprécier la griserie de l'effort qui nous rapproche d'un autre succès. Dès lors, l'autodiscipline cesse d'être une corvée et devient elle-même un but. On y prend goût et les succès futurs deviennent encore plus faciles à réaliser. C'est ce que je vous souhaite, car, que vous en soyez conscient ou non, votre partie se terminera avec votre dernier souffle. D'ici là, restez engagé.

— *Une responsabilité pour vous*

Je m'en voudrais cependant de vous quitter sans vous dire que le succès n'arrive pas seul. Il est généralement accompagné d'une grande responsabilité. Une fois que vous avez trouvé la voie de la réussite, l'idée de montrer la voie aux autres devrait devenir un devoir pour vous.

Mais rassurez-vous : cela ne veut pas dire de prendre sur vos seules épaules le sort de tous ceux qui vous entourent. Vous n'êtes pas responsable de la manière dont ils jouent leur partie. D'autant que plusieurs ne savent même pas qu'une partie est en cours! Ils traversent la vie comme des automates, espérant une amélioration de leur condition, amélioration qu'ils ne songent même pas à provoquer. Or, vous le savez maintenant, il faut semer pour récolter et la simple attente béate ne provoque pas grand-chose. Sans l'apport d'un coup de main du destin à l'occasion, elle ne provoque rien.

Montrer la voie, ce n'est pas prendre les gens en charge. C'est subtilement leur poser des questions qui les placeront sur la voie du succès. Voici d'ailleurs six questions possibles inspirées de vos six premiers lancers des dés :

1. Que demanderais-tu si un génie t'accordait trois vœux ?

2. Qui pourrait t'aider à atteindre ces objectifs ?

3. Qu'est-ce qui t'empêche de te lancer, d'aller plus loin ?

4. Que pourrais-tu faire, chaque jour, pour apprécier la vie davantage ?

5. Quelle formation te manque-t-il pour aller de l'avant, pour obtenir cette promotion, pour prétendre que tu as la crédibilité nécessaire pour te lancer?

6. Qu'est-ce qui pourrait t'aider à aller de l'avant? De quelles influences négatives dois-tu te libérer afin de réussir? Quelles sont les forces à l'œuvre ici?

Les gestes que vous avez posés jusqu'à maintenant, ceux tirés du chapitre 2, vous ont démontré que vous aviez besoin des autres pour réussir. Eh bien, croyez-le ou non, la réciproque est vraie : les autres ont besoin de vous pour faire de même!

Ne vous comportez donc pas en pacha parce que vous êtes finalement monté au-dessus de la mêlée. Cette place vous revenait, de toute manière. Elle vous attendait. Et les gens qui vous entourent pourraient également aspirer à monter plus haut. C'est juste qu'ils ont besoin de vous pour le réaliser.

Ne soyez pas une icône. Devenez à la fois un exemple et un mentor. Faites la preuve qu'on peut aller plus loin et aidez ensuite les autres à le faire. Ne faites pas partie de ce groupe de gourous qui disent aux gens comment réussir et qui sont eux-même au bord de la faillite. Ne devenez jamais comme ces «experts» en relations de couple qui n'ont jamais été capables de garder un amoureux ou une amoureuse. Commencez en prêchant par l'exemple et, ensuite seulement, aidez les autres à gagner leur partie. La leur achève également et ils n'ont peut-être même pas conscience des enjeux.

Pour revenir sur Le Secret

(une dernière fois)

Dans quel état d'esprit terminez-vous ce livre? Déçu ou comblé? Si vous faites partie de la horde d'individus qui aspirent à améliorer leur vie sans y mettre trop d'efforts, vous devez être passablement déçu. Je vous ai quand même expliqué qu'il n'y avait pas de raccourcis, de paroles magiques ou d'incantations qui vous permettraient d'accéder plus rapidement au Nirvana. Je vous ai plutôt incité à vous investir dans votre propre vie. Elle vous appartient, après tout, et, jusqu'à preuve du contraire, c'est la seule qui vous a été offerte. Après celle-ci, c'est le néant. Niet! Rien pantoute!

Si vous avez toujours su, dans votre for intérieur, que le succès exigeait une rançon avant de se manifester, vous souriez. Vous vous dites que le temps des miroirs aux alouettes est enfin révolu. Vous êtes prêt à mettre les efforts nécessaires pour vous mériter la place qui vous revient.

Car vous méritez plus. Je le sais et vous le savez. Les fruits de la réussite vous attendent aux détours du sentier. Il vous reste à conquérir ce fameux sentier pour vous mériter ce qui s'y cache. Vous vous sentirez bien seul rendu en haut. Je le sais. Mais la vue y est tellement belle que, ne voulant pas quitter les lieux, vous y attirerez les gens qui vous tiennent à cœur. À ce moment, vous pourrez goûter la réussite en couple, en famille, en groupe ou en communauté. C'est ce que vous souhaite!

LECTURES SUGGÉRÉES

DRUBIN, Daniel T. *Letting Go of Your Bananas*, Business Plus, New York, 2006, 119 p.

PATTERSON, Kerry et al.. *Change Anything*, Business Plus, New York, 2011, 262 p.

SAMSON, Alain. *Bien payé mais toujours cassé,* Éditions Transcontinental, Montréal, 2001, 92 p.

SAMSON, Alain. *Faites votre C.H.A.N.C.E.*, Éditions Transcontinental, Montréal, 2008

SAMSON, Alain. *La vie est injuste (et alors?)*, Éditions Transcontinental, Montréal, 2004, 183 p.

SAMSON, Alain. *Pourquoi travaillez-vous?*, Éditions Transcontinental, 2002, 102 p.

SAMSON, Alain. *Pourquoi vous contenter d'être heureux?*, Béliveau Éditeur, Montréal, 2010, 167 p.

POUR ALLER PLUS LOIN

À plus de 1 600 reprises depuis 1993, Alain Samson a aidé des organisations à relever les défis auxquels elles faisaient face. Que ce soit devant un groupe de 10 ou de 1 000 personnes, Alain sait aller à l'essentiel tout en soutenant l'intérêt de son auditoire grâce à la justesse de ses propos et un humour pince-sans-rire très efficace.

Détenteur d'un certificat en Sciences sociales, d'un MBA (UQAM, 1993) et d'un diplôme d'études supérieures en formation à distance, il est gradué du *Authentic Happiness Coaching Program*, un programme de formation offert par des sommités mondiales en matière de psychologie et de développement personnel.

Auteur prolifique couronné à de multiples reprises (il a, par exemple, obtenu une mention du jury lors de la remise du Prix du livre d'affaires en 2006 pour *Les boomers finiront bien par crever,* et son fameux *Comment devenir un meilleur boss,* qui s'est avéré le meilleur vendeur en matière de livre de gestion au Québec la même année), il est également chroniqueur pour le journal *Le Métro*. Huit de ses ouvrages sont distribués en Europe et en Afrique francophone. Deux ont été publiés en italien, deux en espagnol, deux en anglais et dix en russe. Il est de plus reconnu comme un des experts québécois en matière de théorie de la persuasion.

Il y a dix ans, constatant que même la meilleure stratégie d'affaires était vouée à l'échec si les membres de l'organisation n'étaient pas heureux, il a plongé dans ce champ de recherche et est devenu l'auteur de la collection *SOS Boulot,* une collection dont plus de 50 000 exemplaires ont été vendus depuis.

Alain est également membre de CAPS (Canadian Association of Professional Speakers) et de l'IPPA (International Positive Psychology Association).

Vous aimeriez profiter du talent d'Alain dans votre organisation ? Vous pouvez le joindre en communiquant à l'adresse suivante :

info@alainsamson.net

Autres ouvrages du même auteur

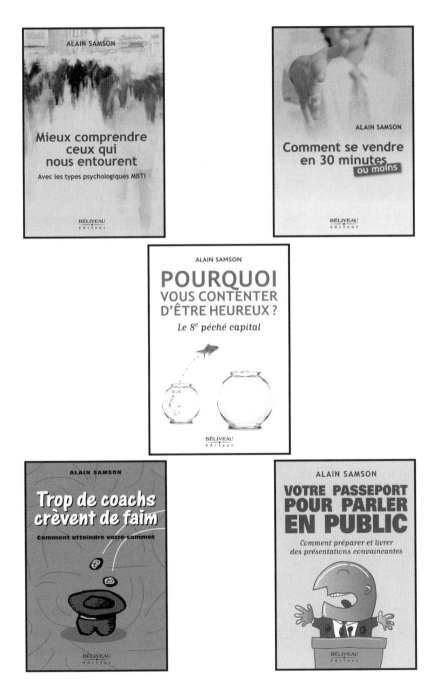